OLIEBOL

In de reeks *L.J. Veen Klassiek* verschenen:

Ryunosuke Akutagawa *Rashomon*
Charlotte Brontë *Jane Eyre*
Emily Brontë *Woeste Hoogten*
Joseph Conrad *Hart der duisternis*
Charles Dickens *Grote verwachtingen*
Fjodor Dostojevski *Misdaad en straf*
Multatuli *Max Havelaar*
Nikolaj Gogol *Dode zielen*
Der Nister *De familie Masjber*
Wilhelm Raabe *Oliebol*
Rainer Maria Rilke *Brieven over Cézanne*
Arthur Rimbaud *Ik is een ander*
Jean-Jacques Rousseau *Overpeinzingen van een eenzame wandelaar*
Mary Shelley *Frankenstein*
Isaac Bashevis Singer *Satan in Goray*
Ivan Toergenjev *Vaders en zonen*
Lev Tolstoj *Anna Karenina*
Oscar Wilde *Het portret van Dorian Gray*

WILHELM RAABE

Oliebol

Een zee- en moordverhaal

Vertaling en nawoord Ard Posthuma

Uitgeverij L.J. Veen — Amsterdam | Antwerpen

Oorspronkelijke titel *Stopfkuchen. Eine See- und Mord-geschichte*
Omslagontwerp Marry van Baar
Typografie Sander Pinkse Boekproductie
Omslagbeeld Vincent van Gogh *Sterrennacht boven de Rhône* (1888), Bridgeman Art Library

ISBN 978 90 204 0700 6
D/2007/0108/725
NUR 302

www.ljveen.nl

Weer aan boord!

Ik hecht eraan om meteen in de aanhef van dit geschrift te bewijzen of te laten zien dat ik dankzij mijn gymnasiale opleiding nog steeds over de nodige culturele en intellectuele bagage beschik. Namelijk heb ik in Zuid-Afrika een vermogen opgebouwd en daarin slagen normaliter vooral die mensen die juist niet door kennis van dode talen, literatuur, kunstgeschiedenis en filosofie gehinderd worden. En dat is voor de verspreiding van de cultuur ook maar verreweg het beste en meest bevorderlijke; want je kunt toch moeilijk van elke Duitse professor verwachten dat hij óók naar Afrika vertrekt en er zijn kennis aan de man, te weten de bosjesman brengt, respectievelijk in de bosjes achterlaat, louter en alleen om — voor zichzelf een vermogen op te bouwen.

'Dus, Eduard, citeer jij maar even Von Platens *Vork* als bewijs van het feit dat wij qua literatuurkennis alles nog op een rijtje hebben!' Eduard is namelijk mijn doopnaam en Mopsus heet in het voornoemde blijspel de herder in Arcadië die 'op het voorgebergte van de Goede Hoop' een riddergoed wenst te kopen en voor dat doel al zijn spaarcentjes opzijzet.

'Waarom uitgerekend daar?' vraagt vervolgens Damon, de drost van Arcadië; en de wereld heeft het volste recht ook mij die vraag te stellen.

Maar misschien is juist de wereld bij machte mij dat te verklaren! Wat drijft mensen naar de plek waar ze, als ze zich er rekenschap van geven, tot hun eigen verbazing op een goeie of kwaaie dag blijken te zijn terechtgekomen?

Ik kan daar hier niet veel meer over zeggen dan dat naar mijn mening de plattelandspostbode Störzer daarvoor verantwoordelijk is geweest. Mijn ouwe vriend Störzer. Mijn goeie, ouwe vriend van de landweg uit mijn kindertijd in de naaste omgeving van mijn geboortestad in Arcadië, oftewel van alle land- en zeewegen waar dan ook ter wereld.

Nu ik hiermee mijn bevoegdheid heb aangetoond een woordje mee te spreken in mijn oude vaderland, waar erudiete mensen het woord voeren, kunnen we hopelijk ons relaas voortzetten. Dat doe ik dan ook, met de tussentijdse opmerking dat ik absoluut niet zou weten of ik voor het huidige vaderland nog wel de juiste taal- en spellingsnormen hanteer. Er zijn ook in dat opzicht tijdens mijn afwezigheid te grote kleine geesten aan het werk geweest en we kunnen in naam der wet het heerlijk ironische woord van onze erfvijand gebruiken: *nous avons changé tout cela*. Dat we daar verkeerd mee bezig zijn geweest, zul je helaas een echte Duitser niet horen zeggen! Die neemt altijd alles even serieus, vooral als zijn voordeel, zijn eerzucht of zijn ijdelheid in het geding is.

Maar het vaderland heeft toch zo zijn aantrekkelijkheden, en als dat niet zo was, dan zou ik *dit* hier zeker niet zitten neerpennen, ter veraangenaming van mijn thuisreis aan boord van de Hagebucher op de lange golven van de Atlantische Oceaan. Op zijn minst zal ik, wind en weder dienende, met behulp van mijn ongeoefende pen, mezelf dertig niet geheel en al nutteloos verdagdroomde zeedagen (vanuit Hamburg gerekend) kunnen bezorgen. En reken maar dat mijn buren aan de Oranjerivier en in Transvaal verbaasd en verrukt zouden zijn over ons aller neef Oliebol, wanneer ze mijn kajuitgekriebel konden ontcijferen, gesteld dat ze het in handen kregen! Maar op dat laatste is evenmin kans als op het eerste en onze president, mijn goede vriend daarginds tussen de Afrikaanse Boeren, heeft voor dat soort dingen ook maar weinig tijd, anders zou hij me wel het plezier doen mij zijn mening over mijn manuscript te geven.

Het was een heldere sterrennacht en we waren op weg naar huis. Niet naar Kaap de Goede Hoop, want we kwamen van De Brompot. Godzijdank is het zo dat er onder Duitse mannen altijd wel één of twee op de tien te vinden zijn die zich wat meer met astronomie hebben beziggehouden en daarover kunnen informeren, sterrenbeelden kunnen benoemen en met een stok aanwijzen, terwijl de rest zich tijdelijk in de ontzaglijke pracht van het heelal verliest en hoofdschuddend zegt: Hoe krijgen ze 't voor mekaar!

Je kunt op elk gebied van de wetenschap je mannetje staan om je toch, wanneer de sfeervolle gelegenheid zich aandient, te moeten laten beleren waar Sirius te vinden is, waar Betelgeuze en waar de Boogschutter en Aldebaran. Wie Orion kan herkennen heeft al een enorme voorsprong, want wat de sterrenbeelden betreft tasten de meesten van ons in het duister. Zo solitair en overzichtelijk als mijn Zuiderkruis zie je dat alles hier niet aan de hemel prangen, en als een noordelijk halfronder de Grote Beer weet te vinden, is het al heel wat; maar ook hier gaan respectabele kenners soms al in de fout door er de Poolster in onder te brengen, die toch echt in de Kleine Beer thuishoort.

We kwamen van De Brompot en keken naar de sterren. Zo tegen middernacht, wanneer ze bij tijd en wijle op zijn helderst zijn en je bij het kijken het minst door anderen wordt gestoord. Dat soort momenten op een landweg, slechts in gezelschap van je nog overgebleven jeugdvrienden — dat heeft iets heel bijzonders! Waar het gesprek ook over gaat, politiek, beurszaken, kunst: elke nog zo ter zake kundige gespreksdeelnemer mag straffeloos zijn doortimmerdste betoog afbreken en met een blik naar boven zeggen: Dat is toch ook niet mis! — Daarna heeft hij natuurlijk recht op een snuifje, tenminste als hij van snuiftabak houdt; ik van mijn kant rook liever en bij het zien van die eindeloze hoeveelheid hemellichten steek ik graag een verse sigaar op, want dat geeft ook licht en de mens op aarde heeft geen andere keus dan op alles en dus ook op 'het eeuwige gewemel der sterren' te reageren.

Jaja, en als je dan ook nog een Duitser van de oude generatie bent, dan beperk je je toch maar het liefst tot het meest voor de hand liggende: de mooie avond, het prettige gezelschap en wat daar zoal bij hoort, zelfs al neem je dan ter afwisseling soms even afstand door je enkele lichtjaren in het getwinkel en geflonker boven ons hoofd te begeven. En dat is ons goed recht op aarde. We vinden het (althans in beginsel) belangrijker te weten tussen wat voor mensen we hier leven en met wie we te maken hadden, of net te maken hebben of morgen mee te maken zullen krijgen, dan om ons er druk over te maken of de Maan of Mars bewoond zijn en zo ja door wie of wat. –

Nu was het natuurlijk wel zo dat het wandelgezelschap van die avond mij nader aan het hart lag dan alles wat er op Mars, de Maan, Sirius, Betelgeuze, Venus en Jupiter rondhuppelt. Want de luitjes waar je daar mee wandelde waren wel mooi dezelfde als die je in den vreemde op klaarlichte dag of in je dromen, maar vooral in het schemergebied daartussenin, plotseling voorbij zag flitsen of voor je opdoemen! Gezichten waaraan je in geen jaren meer hebt gedacht en waar je op zo'n moment des te intensiever aan moet denken: hemeltjelief, die en die! Zou die goeie ouwe vent nog leven en op zijn verdiende lauweren mogen rusten?... En kijk me daar nou toch eens: die etter, die misselijke klassenklikspaan! Waarom schiet me die snotaap met zijn te korte broek en hemdsmouwen juist op dit moment, op deze straathoek aan de haven te binnen, hier onder de palmen en sycomoren en andere moren, nog wel bij zo'n equatoriale hitte? Maar het doet je ook wel weer plezier, juist bij die hitte en tussen die exotische, heidense zwartjes, dat je ooit in koelere tijden met die vaderlandse, Germaanse christen te maken hebt gehad en er door hem met je neus bovenop gedrukt werd hoe fideel het in de wereld en onder de mensen toegaat!... Godnogaantoe, daar heb je Meier!... Meier! Maar alsof hij van een beschilderde theekist is weggelopen, met de gewezen porseleinen toren van Nanking op de achtergrond! Hoe komt me die brave oude jongen en sufkop aan zo'n fraaie vlecht en het mandarijneninsigne vierde klas op zijn hoed...? Nee maar, en Oliebol? Hoe kom ik hier nou juist op Oliebol, op mijn dikke vriend Oliebol, altijd present in het vermaledijde voorste bankje van onze gymnasiumklas? Gunst, Oliebol!...Oliebol! —

Niet dat ik het gezelschap compleet in de stad of in De Brompot opnieuw had aangetroffen. De een had de dood, de ander het leven eruit weggerukt. En met name wat betreft De Brompot was het de een in zijn huwelijk te goed en de ander te slecht vergaan om nog ten behoeve van zo'n gemeenschappelijk avondje, soms ook wel nachtje, de juiste stemming op te kunnen brengen en zich aan zijn echtelijke sfeer te onttrekken. Een van ons was om een heel speciale reden ver van De Brompot en thuis bij zijn vrouw gebleven, en zijn naam, of beter gezegd, zijn bijnaam was:

Oliebol.

Hij zal op deze pagina's nog uitgebreid aan het woord komen; maar er waren ook in de oude kroeg al veel woorden aan hem gewijd, evenals op de terugweg onder de flikkerende sterrenhemel en in de lange populierenlaan. Maar ik was een hele tijd achter de anderen aangelopen, zonder aan het gesprek deel te nemen, en had op mijn beurt weer oude herinneringen laten herleven en had alleen gedacht: Oliebol! Oliebol op de Rode Schans! Eduard, zou je die lekkernij voor het laatst hebben bewaard? Welke god heeft die allervreemdste kameraad en brave jongen tot op heden zolang bij jou uit de buurt gehouden? Dus Oliebol op de Rode Schans! En als morgen heel Afrika en Europa je de weg versperren: jij wuift ze weg en bent morgen zo vroeg mogelijk op weg naar de Rode Schans en naar je dikste vriend Oliebol. Dus Oliebol wis en waarachtig op de Rode Schans!

Ik was er als gezegd na jarenlange afwezigheid weer eens te gast geweest, te gast in mijn geboortestadje, in mijn stamcafé De Brompot, of beter gezegd, ik had daar eindelijk weer eens een stoel bezet.

Natuurlijk zou je op deze plek allerlei gedachten, gevoelens, stemmingen, op- en aanmerkingen uit de grond van je Duitse hart, borst en ziel nog aanzienlijk langer in geuren en kleuren kunnen schilderen; maar je ziet daar vanaf en noteert alleen het allernoodzakelijkste.

Namelijk als kind was ik al gewend om mijn sinds lang overleden vader daarheen te begeleiden. Hij had er zijn pijp staan, maar af en toe moest ik hem daar ook een nieuwe komen brengen. Veel mensen zullen nu zeggen: Nou, mooi voorbeeld dat die oudeheer zaliger zijn jongen daar gaf! En ze hebben gelijk en weten niet half hoezeer ze daar gelijk in hebben. Net zoals hij dat had, en mij inderdaad een mooi voorbeeld gaf — niet alleen in dat opzicht.

Ik ben dus al van kinds af aan stamgast van De Brompot geweest en mede daarom later ook getrouwd om net als mijn wakkere oude vader van alles aan mijn eigen jongens daarginds in het 'hete Afrika' door te kunnen geven. Die verwilderde, halfslachtig Duits-Hollandse bengels brengen godzijdank tussen de Boeren, Kaffers en Hottentotten menig brokje cultuur in omloop dat uit De Brompot stamt. Gewoonlijk voegen zij er dan aan toe: Dat zei mijn vader en die heeft het weer van zijn vader, onze grootvader in Duitsland.

Ja, zo'n echte Duitse benepen burger in zijn stamkroeg!

Er wordt alleen maar zo minachtend over hem gedaan omdat men vanzelfsprekend steeds de verkeerde voor de echte aanziet. Want waar anders dan in De Brompot kun je makkelijker de nijpendste problemen van de vervelende, domme, smakeloze, kwaadaardige, jaloerse wereld met één klap van tafel vegen? En waar kun je beter natrappen om het gehate ondier de genadeklap te geven?

Hoe anderzijds mevrouw de wettige echtgenote tegen De Brompot aankijkt is een heel ander verhaal. En nog weer een verhaal apart is hoe mijn eigen moeder zaliger ertegen aankeek. Natuurlijk heb ik pas op rijpere leeftijd via weemoedig-vrolijke, uit het geheugen opgediepte herinneringen ervaren hoe de vork in de steel zat, en ik moet zeggen dat de algemene indruk verheugend positief is. De goede vrouw had zich niet alleen met De Brompot verzoend, maar spoorde mijn vader zelfs af en toe aan: 'Zeg, moet je niet even je avondwandelingetje maken?' En vreemd genoeg gebeurde dat meestal juist dan als zorgen, narigheid en verdriet ons huis bekropen en het leven zijn kwalijke wolken boven ons dak en dus vooral boven haar geliefde hoofd samenbalde. Groter compliment kun je die vrouw én De Brompot niet maken.

Door alle verhalen die onder het gesternte van die avond loskwamen had ik de meest uiteenlopende herinneringen weer opgefrist. In De Brompot hadden ze gevonden dat ik toch behoorlijk zwijgzaam uit Kafferland op thuisbezoek was teruggekomen en zoals gewoonlijk vergaten ze daarbij dat het niet per se nodig is je mond open te doen om je toch op de meest levendige manier met iemand, met meer iemanden, met velen te kunnen onderhouden. Ik had dan ook vrijwel alles geregistreerd wat er op die avond om me heen was gezegd, waarbij er één gespreksonderwerp, zijdelings en onnadrukkelijk ingebracht, mij inderdaad langer en diepgaander had beziggehouden dan de anderen om de oude tafel.

Een van ons is namelijk als rijksambtenaar bij de posterijen werkzaam en die vertelde of liet zich min of meer terloops ontvallen: 'Misschien dat het een van de heren interesseert dat we vandaag bericht ontvingen dat Störzer dood is. Onze oudste, meest ambulante postbode. Het zou me verbazen als er hier onder ons iemand is wiens weg hij niet gekruist heeft.'

'Ja, maar natuurlijk!' klonk het van alle kanten. 'Die ouwe Störzer! Dus die heeft eindelijk zijn pelgrimsstaf definitief in de hoek gezet.'

'In alle eer en deugd. Precies eenendertig jaar lang heeft hij gelopen, en onder de indruk van dat bericht hebben we de koppen bij elkaar gestoken en a posteriori nagerekend welke afstand hij tijdens zijn dienstloopbaan in trouwe toewijding en zonder ooit om een vrije dag te vragen heeft afgelegd. Hoeveel rondjes om de aarde schatten de heren dat hij omgerekend zou hebben afgelegd?'

'Dat zou ik wel eens willen weten!' riep de hele Brompot.

'Vijf keer. Om de aarde. Zevenentwintigduizend tweeëntachtig mijl in vierenvijftigduizend honderdenvierenzestig pedestriale diensturen! En zoals gezegd: geen dag heeft die geluksvogel in zijn eenendertig dienstjaren verstek laten gaan — verstek moeten laten gaan met het oog op zijn gezondheid. Hoeveel van de hier aanwezige heren zouden hun benen annex reuma, meer of minder uitgesproken ischias en wat er verder nog voor extra's aan een zittende levenswijze kleeft, niet met liefde tegen de zijne hebben ingeruild?'

'Daar kun je donder op zeggen!' zuchtten verschillende heren en voegden er nog eens aan toe: 'Dus die ouwe Störzer is dood!' —

'Dus de ouwe Störzer is dood!' had ook ik gemompeld.

'Ging van zijn rust genieten na vijf keer zijn traject om de aardbol te hebben afgelegd. Die had je ook nog graag een keer gezien en gesproken voor zijn allerlaatste weg, die niet meer tot zijn aardse ambtelijke dienstrooster behoorde!' — En het onbehaaglijke gevoel dat ik een plicht en verplichting lichtzinnig had veronachtzaamd maakte zich van mij meester. 'Had die man dit keer nou echt zo'n haast moeten maken? Had hij niet even kunnen wachten tot je ook hém weer voor de geest had gehaald, Eduard, om tijdens je bezoek aan het vaderland ook bij hem als je rechthebbende vriend je opwachting te maken?'

'Jij zou toch van ons allemaal de meeste herinneringen aan hem moeten hebben, Eduard?' had tevoren aan de stamtafel des levens iemand me gevraagd.

'Jazeker, hij staat me nog helder voor de geest!' had ik geantwoord; en zodoende zijn de volgende pagina's mede ten behoeve van hem, Störzer, geschreven.

En óf hij me nog helder voor de geest staat! herhaalde ik voor mezelf, toen ik een half of heel uur later in het hotelletje waar ik in de stad alhier was neergestreken, weer even met mezelf alleen was en met de op de afgelopen dag opgedane indrukken van het voormalige thuisfront. Hij, Störzer, behoorde inderdaad tot een van de allerbeste kennissen uit mijn jeugd, en het was mijn eigen vader geweest door wie ik hem had leren kennen; hij had mijn aandacht op 's mans dagelijkse ronde gevestigd door me voor te houden: 'Kijk eens, jongen, neem een voorbeeld aan hem. Die trekt zich van weg noch weer wat aan. En hoeveel bezorgt hij niet dagelijks met zijn leren tas de mensen aan huis, en dat zonder een spier van zijn gezicht te vertrekken!'

De betekenis van het laatste zal me toen wel enigszins zijn ontgaan; vandaag de dag weet ik dat mijn vader zaliger bij het woord 'gezicht' vermoedelijk de voorafgaande bijvoeglijke naamwoorden 'dom, onverschillig, braaf' had weggelaten. Maar welke echte jongen zou niet onder de indruk zijn van een man die hem ten voorbeeld wordt gesteld omdat hij zich van weg noch weer wat aantrekt?

'Waar dat kind nou toch weer uithangt?' placht in die gelukkige dagen mijn arme moeder zaliger te vragen.

Het kind hing uit bij Störzer, bij diens kunst alle autochtone vogels plus nog een stuk of wat exotische na te kunnen fluiten, sjilpen en krassen, bij zijn 'paraatheid' anno achttienhonderdvijftig en bij zijn — geografie. Want dat was toch duidelijk genoeg, al tastte het moederlijke gemoed dat net het deksel van de soepterrine tilde en vergeefs om zich heen keek, nog zozeer in het duister. Terzijde: dat wij eveneens bij de (toen nog niet keizerlijke) Post hoorden en dat mijn vader in de laatste jaren van zijn leven zelfs postdirecteur werd genoemd, heeft er vermoedelijk ook het nodige toe bijgedragen dat er tussen Störzer en mij zo'n aangename en innige relatie groeide. Wij voelden ons verbonden; en op mijn wegen niet óm maar door de wereld is het me niet of nooit gebeurd dat ik een posthoorn heb horen blazen zonder daarbij aan mijn vader zaliger, mijn moeder zaliger en aan de plattelandpostbode Störzer te moeten denken. Overigens kreeg Störzer ook telkens een sigaar mee voor onderweg als hij vader en mij ergens buiten de stad tegenkwam. Dus is het ook allesbehalve een wonder dat hij mij elke keer als hij mij alleen tegenkwam placht te vragen: 'En, Eduard, hoe zit 't? Wil je mee? Mag je mee?' —

Ja, ik had hem, zoal niet als allereerste, dan toch als een van de eersten moeten opzoeken. Nu liep ik weer eens achter de feiten aan. En ook de keizerlijke Rijkspost kon nu geen aanspraak meer op hem maken, haalde hem niet langer voor dag en dauw uit de veren, of beter gezegd, zijn strozak om hem opnieuw door goed of slecht weer te laten marcheren; en ik — ik zat bij mijn vriend Sichert, de herbergier van De Heilige Driekoningen, en herdacht hem zoals je iemand herdenkt waar je in je jeugd tegen hebt opgezien en met wie je samen wegen hebt afgelegd in een wereld nog vol fantasieën, wonderen en avonturen.

Je hebt soms van die uurtjes waarin het hele leven en wat er verder nog druist en bruist tot een gezoem in de verte wordt en je alleen nog één enkele stem van heel dichtbij luid en precies hoort spreken.

'Dat zit er nu niet meer in, Eduard!' hoorde ik Störzer heel duidelijk verzuchten. Toch had hij mij, dat wil zeggen op die dag toen, een koekoeksei in het nest van een grasmus willen laten zien, en raadt je de koekoek dat er al andere natuuronderzoekers vóór ons lucht van hadden gekregen, die dat zeldzame natuurhistorische fenomeen uit het bosje in de oude steengroeve rechts naast de landweg hadden verwijderd.

En opnieuw, van een andere dag afkomstig, hoor ik die stem: 'Zie je, Eduard, als ik vandaag je moeder was geweest, dan had ik je dit keer toch niet met me mee laten gaan, al is het dan ook honderd keer grote vakantie. Nog denkt iedereen die er geen verstand van heeft dat het vandaag best een mooie dag is; maar zoals ik deze streek en de weeromstandigheden hier ken, hou ik liever mijn mond. Ondanks al die zonneschijn daarginds en van alle kanten zie ik daar uit ons weerhoekje achter Maiholzen toch een paar verdachte wolkjes opstijgen. Als je toch wilt omkeren, Eduard, dan doe je misschien je ouders en je kleren een groot plezier. Ik wil niks beweren, maar het zou wel eens zover kunnen komen dat ze je het liefste binnenshuis hadden.'

Het is niet altijd dezelfde stem. Er valt nog een andere in, en dat is de mijne, nog zonder de baard in de keel, een 'baard' die nog een jaar of wat op zich zal laten wachten.

'In Zuid-Amerika is een grote aardbeving geweest, Störzer. Mijn vader heeft het vanochtend voorgelezen uit de krant. Die heeft heel wat plaatsen overhoop gesmeten waaronder een stad zo groot als de onze. Potverdorie, als je daar eens bij had kunnen zijn, Störzer!'

'Hm, Eduard, dat zeiden er bij ons anno achttienhonderdvijftig bij de mobilisatie ook een hoop, als ze oude mensen die erbij geweest waren hoorden vertellen over de slag bij Leipzig of de slag bij Waterloo en hun ontberingen op de marsen.

Maar achteraf waren we toch allemaal weer blij dat het zo'n vaart niet liep. De grootste tetteraar van ons allemaal had er alleen al op het exercitieterrein al gauw genoeg van. En zelfs Karl Drönemann, die ze tot ruiterpostiljon bij de veldpost hadden gemaakt, vond: achteraf thuis erover te kunnen vertellen stond in geen verhouding tot het tevoren aan den lijve met inzet van je leven te hebben moeten meemaken. Dat is net als met al die reisbeschrijvingen. Neem nou onze Levalljang, aardig toch om te lezen omdat hij het thuis allemaal zo aardig heeft beschreven... Dus deze keer was de grote aardbeving in Zuid-Amerika? Jaja, de aardrijkskunde is voor ons allemaal bij de Post toch de hoogste wetenschap. Hoeveel zijn erbij omgekomen, Eduard?'

'O, zo om en nabij de honderdduizend. Zo precies zullen ze dat wel niet kunnen uitrekenen.'

'Hm, een paar duizend meer of minder! Eentje meer of minder — minder. Eduard, de lieve God zal het toch wel kunnen verantwoorden. Vind je ook niet?'

'Dat weet ik niet; maar de brief- en pakketpost moet er wel compleet door in de war geschopt zijn, zegt m'n vader, en dan komt er toch vast een hele stapel als onbestelbaar terug. Denk je ook niet, Störzer?'

'Eentje meer of minder op de wereld.'

'Koopman Katerfeld, die daar volgens mijn moeder een rijke broer heeft zitten, kwam vanochtend ook al bij vader op de koffie om te informeren.'

'Zie je wel, Eduard! Ook eentje meer of minder! Ja, die buitengaatse Katerfeld, Sekkel van z'n voornaam, die ken ik nog heel goed uit mijn jongensjaren. Dat moet dus in Chili geweest zijn, die aardbeving van jou; want daarheen is hij geëmigreerd en heeft het er tot miljonair geschopt. En dat zouden we allemaal moeten doen. Hij is ongetrouwd gebleven, omdat hem hier een zekere dame niet hoefde. Daar kun je van denken wat je wilt, Eduard, want dat is toch maar bijzaak. Zo, zo, dus die kreeg ook met die aardbeving te maken! Ja, dan was ik in de positie van meneer Samuel Katerfeld ook meteen bij je vader als gerespecteerd hoofd van de Post gaan informeren naar het hoe en wat. Maar — dat kun jij nog niet snappen, Eduard. Afijn, je wilt dus, weer of geen weer, ook vanochtend weer mee? Vooruit, op pad dan maar, en laten we het over Levalljang hebben. Dat is toch het boek der boeken! En die wereld- en reisbeschrijver jaagt je de dwaze ideeën uit je kop. En zoals hij zouden we allemaal moeten leven, tussen de wilde en tamme Hottentotten. Ik heb weer eens de halve nacht in dat boek zitten studeren.'

'Je hebt een zware tas vandaag.'

'Een zware tas!... Ja, wat de mensen allemaal schrijven! Alleen al de Rode Schans, de boer van de Rode Schans! Wie mij in mijn functie verlost van de Rode Schans en zijn poststukken, die zou ik op mijn knieën danken. Vandaag is het gelukkig alleen maar de krant. Die breng jij wel weer even voor mij over de gracht naar de schans. Nietwaar, dat plezier doe je me toch? Dan zet ik ondertussen aan deze kant van de gracht de overige brieven en damesbladen en modejournalen voor de heren economen, pastoors en fabrieksinspecteurs wat meer naar mijn hand.'

Wat had ik toen niet allemaal gedaan om de plattelandspostbode Störzer een plezier te doen!

'Natuurlijk breng ik je spullen naar Quakatz, Fritze, al trekt hij nog zo'n zurezultgezicht en zou zijn wilde kat me het liefste in m'n gezicht springen. Ga jij maar ongegeneerd onder de boom voor de gracht zitten en sorteer je zaakjes. Ik ren wel vast naar de Rode Schans en verover hem in stormloop, zoals Oliebol dat wil doen. Dat krijgen we wel voor elkaar voordat dat onweer van jou komt opzetten, Störzer!'

'Oei, zo snel zit dat er hopelijk niet aan te komen, Eduard.'

En zo zetten we, ondanks alle dreigende weerssymptomen rondom aan de horizon, flink de pas erin.

'Een zware tas!' hoor ik in mijn tijdelijk onderkomen De Heilige Driekoningen mijn goedaardige jeugdvriend Störzer nog een keer steunen, of beter gezegd, zuchten; maar hoezeer ik hem ook met hart en ziel was toegedaan, wat kon mij de correspondentie schelen van de boeren, de landheren, de fabrikanten, die hij in zijn tas op zijn dagmarsen met zich meezeulde? Veel belangrijker was immers alles wat er langs de landwegen en -weggetjes kroop, vloog, liep, zoemde, glansde, glinsterde en schitterde. Ja, als de koekoek, de grasmus, de egel, de haas en de rest van het gezelschap inclusief de zon, de schaduw, de wind, de regen, de bliksem en het onweer zich via Störzers bemiddeling onderling met epistolair verkeer hadden ingelaten, dan was het allemaal misschien nog veel en veel mooier geweest. Maar het was ook zo al heel mooi, waar de rogge en de tarwe, de korenbloem en de klaproos rondom zonder inkt, pen of papier zich wisten te redden en zonder enige vorm van hoger onderwijs binnen hun isotheren en isothermen vriendschappelijk en zakelijk het terrein met elkaar konden delen.

Isotheren! Isothermen! Zoals deze geleerde woorden pasten bij de geliefde, inheemse namen van alles wat er groeit 'op het veld' ('ziet de leliën' enzovoort), zo pasten ze ook bij onze overige aardrijkskunde (oftewel geografie) toen. En toch, wat voor fantastische aardrijkskundigen, terreinbeschrijvers waren we toen, Störzer en ik! De oude, vriendelijke, geleerde Karl Ritter, die in Berlijn zijn landschapschetsen op het grote zwarte bord achter zijn spreekgestoelte tekende, zou ons hebben omarmd.

En wat voor ontdekkingsreizen in de wijde onmetelijke wereld je op die leeftijd niet maakte in die paar uurtjes dat je van de ene vlek, pastorie of heerboerderij naar de andere wandelde!

Thuis, in Nieuw-Teutonië, weet ik maar al te goed dat de wereld, of in dit geval de globe, allerminst onafzienbaar is, maar dat deze in de ether zwemmende gehaktbal helemaal niet zo dik is als hij zich verbeeldt. Maar als ik het tenminste al tot aan de Kaffers en de Boeren en tot een behoorlijk vermogen heb gebracht, aan wie anders heb ik dat te danken dan aan de plattelandspostbode Störzer en aan zijn lievelingsboek Levaillants *Reizen naar het binnenland van Afrika*, vertaald uit het Frans en met aantekeningen van Johann Reinhold Forster?

Hoe duidelijk hoor ik in De Driekoningen die stem nog: 'De geografie, de geografie, Eduard! En zo'n kerel als die Levalljang! Wat hadden mensen als wij nog te verhapstukken zonder de geografie en zo'n pronkjuweel van een man en reiziger? Want stel je eens voor, zo dag in dag uit en jaar na jaar dezelfde landwegen. Ieder dorp als je broekzak. In ieder huis, van het oudste grootmoedertje tot het net uit het ei gekropen jongste wurmpje, alles precies als je eigen mensen bij je thuis! En uit ieder huis de roep: Daar komt Störzer! En in ieder huis: Störzer heeft de krant gebracht, Störzer brengt een brief! — Zou je dat je leven lang, steeds maar op diezelfde wegen, uithouden, Eduard, zonder je gedachten, je voorstellingen, je fantasieën en je lectuur, Eduard? Zou je je op den duur niet dodelijk vervelen zonder de geografie?'

'Echt niet, Störzer! Want dat hebben we op het gymnasium en daardoor mocht ik gisteren pas een uur later naar huis. Bithynië, Paflagonïe en Pontus, die wist ik; maar ik moest alle oude staten van Klein-Azië kennen.'

'Dat spijt me bijzonder voor je, Eduard, maar mij zou je er een plezier mee hebben gedaan als je ze bij het nablijven nog uit je hoofd had geleerd, al was het alleen maar voor mij.'

'Voor jou, Fritze? Nou vooruit: Mysia, Lydia, Karia, Lycia, Psidia, Phrygia, Galatia, Lyakaonia, Cilica, Cappadocia, Armenia minor, dat zijn ze; want Bithynië, Paflagonië en Pontus heb ik je al genoemd.'

'Potverdorie, Eduard, dat is net alsof je ons Duitsers in al onze onderafdelingen hebt opgeteld! Het klinkt alleen wat leuker en buitenlandser. En kijk eens hoe fijn dat voor je is dat je dat alles zo keurig op een rijtje kunt opnoemen en je je er iets bij voor kunt stellen, hier op de landweg met die hele van A tot Z bekende omgeving om ons heen en daar, hier, de Rode Schans voor je neus.'

'Ik houd meer van Campes reisbeschrijvingen. En ook meer van jou, Störzer. Mysië, Lydië, Karië, krijg dat maar eens in je kop in zo'n muffe, stinkende schoolstal! En verlang jij maar mooi niet naar Levaillant z'n Afrika met zijn Hottentotten, giraffen, leeuwen en olifanten. Met die onzin hebben ze Oliebol en mij ook nog een uurtje vastgehouden. En die heeft absoluut niets met Afrika. Die heeft niks anders in zijn kop dan de Rode Schans daarginds, dat weet je toch.'

'Jazeker weet ik dat, en dat is ook zot genoeg van die dikzak, jouw zotte kameraad. Weet je, Eduard, als ik me uit een lesje Regenwoud een luiaard voorstel, dan stel ik me automatisch ook altijd jouw vriend en schoolmakker voor. Hij en de Rode Schans!'

De Rode Schans! Al die herinneringen, die wisselende stemmen hadden me zo langzamerhand toch tot geeuwens toe bewogen en ik voelde al de behoefte nu ook Störzer zijn eeuwige rust te gunnen en mij aan mijn eigen nachtrust te wijden, toen die naam me toch nog een tijdje uit mijn slaap hield en op uiterst levendige wijze naar de tijd van mijn jeugd verwees. De Rode Schans!

Ik verkneukelde mij als ik aan de Rode Schans dacht in combinatie met de dikste, luiste, gulzigste jongen van ons allemaal in die tijd.

'In bed heb ik hem het stevigst bij zijn lurven, Eduard,' placht Oliebol te zeggen. 'Als ik al eens droom, droom ik van de schans en als je wilt weten wie daar dan heer en meester is en ervoor zorgt dat er geen schooldirecteur noch enig ander lid van het lerarenkorps de brug over komt, dan is dat niet boer Quakatz, maar dan ben ik het. Ik, reken maar, Eduard.'

En in mijn droom nam ik ook de Rode Schans mee, die nacht in De Heilige Driekoningen van mijn geboortestad. In die droom verscheen hij me nog één keer van mijn leven in al zijn wonderbaarlijke glans en glorie, zoals ik hem vanuit de Oberquarta en Untertertia had gezien, die hofstee — die Rode Schans, die oude, prachtige oorlogs- en belegeringsheuvel van prins Xaverius van Saksen, de boerderij van boer Quakatz, van waaruit de keursaksische prinselijke jongeheer niet alleen de stad daarbeneden maar ook het daarin gelegen Hoge Instituut van Onderwijs, ons gymnasium, zo grondig had beschoten dat ze zich allebei ter plekke moesten overgeven, hoewel hij toch waarlijk niet de voornaamste en grootste held van de Zevenjarige Oorlog was. Die Zevenjarige Oorlog lag al een paar jaartjes verder achter de rug dan mijn en Oliebols jeugd; maar de Rode Schans was nog steeds volop aanwezig in mijn droom, als ideaal van onze jongensdagen.

Daar doemde hij op in zijn goedgeconserveerde kwadraat. Alleen door een damweg over de diepe gracht eromheen met de overige wereld verbonden! Met alles wat hem in onze jongensfantasie tot iets verrukkelijks, geheimzinnigs had gemaakt; met de kanonnen en mortieren van prins Xaver en met de ondoordringbare haag van doornstruiken, waarmee de kwaadaardige boer Andreas Quakatz zichzelf, zijn Tientje, zijn huis, zijn stallen en schuren en alles wat verder nog van hem was als afsluiting naar de boze wereld had omheind!

Ik hoor een dof rollende donder met gekraak mijn droom van de Rode Schans binnendringen; maar het is niet het keursaksische kanonsgebulder tegen koning Fritz van Pruisen: het is het onweer, waarbij Störzer zegt: 'Het haalt ons toch nog sneller in dan ik dacht. Hier, Eduard, doe me een lol en loop even naar de geadresseerde Quakatz met zijn spul. Hier, zijn krant... hier ook een, twee, drie brieven. Wat die man er voor een schrijfwinkeltje op na houdt! Ach, Eduard, en altijd een paar verzegelde stukken van het gerecht! Hier... het kind, zijn Tientje, gluurt al om het hoekje van de poort! Geef ze bij hem af, die dingen; ik sorteer hier ondertussen onder de haagbeuk alvast de rest, voordat het onweer helemaal boven onze hoofden losbarst.'

'Wat moet je bij ons, domme jongen?' hoor ik nu een fijn stemmetje zich even flink kwaad maken, en wel midden in het geblaf van een stuk of zes van woede en venijn dol geworden huis- en kettinghonden in alle soorten en maten. En ze laten het niet bij geblaf en tandengeblikker. Ze happen naar mijn broek en springen me naar de keel; je zou als heer op leeftijd en Zuid-Afrikaanse boer het volste recht hebben met een luide gil uit die droom te ontwaken.

Ik blijf er toch maar in, daar op die dam, voor de toegangspoort van Quakatz' boerderij, en het kinderstemmetje krijst lachend en honend: 'Af, jullie! Binnenkomen! Het hele parket! Presedent, Griffer, Bijsitter, koest allemaal, koest gezworene Vahldiek, koest Meier, koest Braunsberg, koest de hele gezworene bende!'

'Daar is jullie post, jullie brieven en de krant, jij gifkat!' roep ik en gooi de hele correspondentie in de opgehouden schort van het roodharige deerntje van de boer van de Rode Schans, waarna ik de ongastvrije hoeve de rug toekeer, om via de verhoogde oprit en het open veld weer naar de haagbeuk en Störzer de wijk te nemen.

'Kom, Eduard,' zegt Störzer, 'laten we de pas erin zetten zodat we tenminste nog droog in Maiholzen arriveren. Daar, kijk maar eens, daarachter stortregent het al. Daar heb je nou zo'n mooie zomerdag. Nou, wees blij dat we tenminste de Rode Schans en Quakatz achter de rug hebben.'

Nu was het vreemd hoezeer zich in die nacht in De Heilige Driekoningen verleden en heden in bed, slaap, droom en gesoes met elkaar vermengden. Het druiste en donderde als een kletterende regenbui en zwaar onweer: ik lag in bed in De Heilige Driekoningen als echtgenoot, vader, grondbezitter en grote schapenfokker aan de Oranjerivier en liep tegelijkertijd samen met de plattelandspostbode als twaalfjarige schooljongen in een stromende onweersbui door het open veld om Maiholzen, dat veilige dorp achter de Rode Schans, te bereiken — zoniet met droge kleren dan toch tenminste in levenden lijve.

Pas toen de kelner het scheerwater kwam brengen, vernam ik dat er inderdaad tegen de ochtend een hevig onweer was geweest, en er was waarachtig niets tegenin te brengen toen die jongeman de beleefde wens uitte dat ik er hopelijk 'prettig doorheen geslapen had'.

Het echte onweer van die nacht, daar had ik prettig doorheen geslapen, althans zijn gebulder had zich toch zodanig vermengd met het gedonder en gedruis van het verleden dat tussen droom en waarheid geen grens meer te trekken viel. Nu had ik echter, voordat de kelner aan de deur klopte, al geruime tijd naar iets anders moeten luisteren wat eveneens in droomschilderingen vaak literair voorkomt: de torenklokken van je geboortestad. Ik had het zes uur, halfzeven en zeven horen slaan. En intussen was er, juist onder dit alleraangenaamste doezen, rekken en strekken in bed, bij het geluid van déze klokken, in mijn ziel iets anders opnieuw tot leven gekomen, iets even heerlijks als griezeligs! Het tijdstip namelijk dat je op school aanwezig moest zijn — 's zomers om zeven uur, 's winters om acht uur, iets wat behalve voor mijn persoon schandalig genoeg ook voor Oliebol gold! Oliebol! Hij die 'absoluut geen boodschap had aan al die rommel, althans een stuk minder dan de rest van de hele meute bij elkaar'.

Het liet hem waarachtig siberisch koud wat die luitjes (hij bedoelde de geachte leraren) zoal wisten en, ridicuul genoeg, meenden hem mee te moeten delen. Hij was dik in orde zoals hij was — kortom, het was pure gemeenheid 'er' 's zomers om zeven en 's winters om acht uur te moeten zijn, enkel en alleen om je met complete verachting te laten straffen, omdat 'elk alternatief sowieso hopeloos was'.

Oliebol! Echt niet vanwege de kerkklokken (hoewel hij ook een poging gewaagd had theologie te studeren), maar louter en alleen dankzij die torenklok stond hij me nu even stralend als Störzer voor de geest, mijn vriend Oliebol, die ik alleen dán wat haast zag maken als de oude conrector hem met zijn hazelaarrietje niet om de hele wereld, maar om het zwarte schoolbord en de onopgeloste rekensom voortzweepte.

Ja, in onze tijd kreeg je nog het pak slaag waar je recht op had... godzijdank! —

'Oliebol' noemden we hem op school. Eigenlijk heette hij Heinrich Schaumann en was enig kind van zulke uitgedroogde, gekrompen, winterkoninkjesachtig-schichtig-huppende ouders dat diegenen geen ongelijk hadden die in de stad beweerden dat hij in een koekoeksei had gezeten en op schandalig slinkse wijze bij meneer de archivaris Schaumann en mevrouw de archivaresse Nauman in het nest gedropt was. Hoe het ook zij, ze hadden hem volgestopt en naar beste weten zijn snaveltje volgepropt; en het was hem wel bekomen.

En zoals het paartje winterkoninkjes vervuld is van blijheid en trots vanwege hun dikke nestjong, zo waren ook vader en moeder Schaumann blij en trots vanwege hun 'bolle' en ze wilden vanzelfsprekend ook dat hij het in een andere dimensie tot iets brengen zou, en wel tot iets groots. Natuurlijk tot dominee, hogere ambtenaar of iets dergelijks.

'Ik zou er ook niks op tegen hebben, Eduard,' zei Heinrich indertijd vaak tegen mij. 'Als er maar niet zoveel gezwoeg aan voorafging, dat nare Latijn en zelfs Grieks, en daarna, om je helemaal gek te maken, ook nog Hebreeuws,' zuchtte hij dan en hij wreef daarbij niet zelden over zijn schouders.

'En de Rode Schans, Heinrich!'

'Die ook, Eduard, hoewel jullie daar alleen maar flauw over doen. Nou ja, het maakt me overigens niks uit wat ezels als jullie over me denken en zeggen! En dat kun je ook helemaal niet in één adem noemen, ons gymnasium en Quakatz zijn Rode Schans. Potverjandrie, als iemand mij toch tot boer van de Rode Schans promoveerde, ik zou er elke pastorie op de hele wereld voor cadeau geven en Kienbaum met alle plezier wel drie keer doodslaan.'

'Wat nou, Oliebol?

'Jazeker, Oliebol! Noem me maar zo; ik trek het me niet aan. Als er getrakteerd wordt, trakteer ik mezelf, onthoud dat maar. En nog een keer, wat Quakatz betreft, het maakt me helemaal niks uit wat er allemaal over hem wordt beweerd. Voor mijn part kan hij Kienbaum wel zes keer hebben doodgeslagen, hij is en blijft toch maar mooi de boer van de Rode Schans en daar kan niemand tegenop. En trouwens, bewijzen konden ze niets, en als hij nu de hele wereld over zich heen krijgt, bewijst dat absoluut niets. Ik krijg ook de hele wereld over me heen, en als jullie morgen Klinkhamer, jullie gewaardeerde leraar doctor Klinkhamer, ergens met gewurgde strot in de berm zouden vinden, dan konden jullie mij dat zaakje ook zonder blikken of blozen in de schoenen schuiven en beweren dat ik het was en ik mezelf eindelijk het pleziertje gegund had me op hem te wreken. Quakatz op zijn Rode Schans heeft groot gelijk als hij zijn wal in navolging van prins Xaver ook liever met kanonnen dan met zijn doornstruiken zou wapenen tegen de hele wereld, de hele mensheid. Poeh, als ik ook eens vanuit de Rode Schans de hele mensheid onder vuur kon nemen — en daarna ook nog de honden op ze loslaten! Jij weet, Eduard, en kunt het onder ede verklaren, hoezeer ik eraan toe was; en ze hebben me toch weer laten zitten zodat ik de klas kon overdoen! Dat is nog eens leuk thuiskomen en blij zijn met je ouders en je leventje, ik geef het je te doen. Nee, dan wil je vanzelf kluizenaar worden en je achter je kanonnen verschansen. Dan is het enige wat helpt de Rode Schans en het idee dat ik er ooit de baas ben! Jij loopt met Störzer mee, Eduard, en ik lig voor de Rode Schans, ieder zijn meug, en ik verplaats me daarin, met de hele wereld en de hele school achter me, en hoe daar dat rund van een Klinkhamer nog binnen denkt te komen. Hier, kijk maar, Eduard! Hoe die Tientje Quakatz me hier gisteren in mijn hand heeft gebeten, die felle kattenkop, dat vind ik prima. Wat moet je anders dan bijten als je niet met rust gelaten wordt? Overigens heeft dat moppie de draai om d'r oren waarop ik haar vervolgens trakteerde, ook moeten voelen; en toen de ouwe kwam opdraven moest hij ons allebei gelijk geven. Spuug jullie je gal maar uit, zei die. Dat is beter dan het op te kroppen, zei die. En als er iemand weet hoe gelijk hij had, dan ben ik het. In de voorste bank te moeten zitten en alles maar te moeten slikken wat Klinkhamer daar zit te verkondigen, dat is nog tienduizend keer erger dan Kienbaum niet te hebben doodgeslagen en er toch op te worden aangekeken. Ja, kijk maar niet zo balorig, Eduard. Jij bent ook een van degenen die zich permanent gelukkig prijzen niet in de schoenen te staan van die boer-moordenaar van de Rode Schans of van Heinrich Schaumann.'

'Dan vergis je je geweldig in mij, Heinrich.'

'Helemaal niet, Eduard; ik ken jullie goed genoeg. Jullie allemaal, ik ken jullie vanbinnen en vanbuiten.'

Ik had mezelf geschoren. Dat doe ik namelijk altijd zelf: daarginds in dat dat verre Kafferland kun je mooi lang op de barbier zitten wachten, al stapte hij ook linea recta op zijn struisvogel om met zijn scheerspullen in sneltreinvaart van kraal tot kraal, van boerderij tot boerderij te draven om zijn klanten te bedienen. De zon stond stralend aan de hemel en scheen op mijn ontbijttafel. Ik mocht mijn hotelbed in de

Heilige Driekoningen het compliment maken dat ik ondanks alles meer dan voortreffelijk geslapen had, mij een zorg hoe het mijn tienduizend voorgangers daarin eventueel was vergaan.

Met behulp van het nachtelijke onweer was er een stralende ochtend aangebroken. Zo fris, zo licht en luchtig om te beginnen, dat je het vooruitzicht op een nieuwe hete dag best op de koop toe kon nemen.

Dus de ouwe Störzer is dood? zuchtte ik behaaglijk-weemoedig boven mijn ontbijttafel en de nieuwste krant, die de ober mij gebracht had met de woorden: 'De baas geeft hem eerst aan u, meneer, omdat hij denkt dat u er hier in huis wel het meest in geïnteresseerd zult zijn, omdat u, eh, van zo ver weg uit het buitenland bent thuisgekomen. De heren in de gelagkamer hoeven er deze keer niet zo'n haast bij te hebben.'

Die woorden van de beleefde jongeman deden opnieuw een stukje goeie ouwe tijd herleven. Het was uiterst vriendelijk van de *host of mine* in De Heilige Driekoningen; maar deze keer was ik er niet zo happig op het Laatste Oordeel betreffende het wereldnieuws voorgezet te krijgen. Ik schoof het dagblad al gauw terzijde en dacht opnieuw: de ouwe Störzer dood! Wat jammer! Die ben je nu dus al door je eigen schuld misgelopen, Eduard. Maar daarom nu dan ook onder alle omstandigheden naar de Rode Schans, naar — Oliebol! Hoe dat alles opeens weer ontwaakt en tot leven komt, zonder dat je er van jezelf meer voor hoeft te doen dan je oren en ogen de kost te geven! Oliebol! Wat was me zo'n twee weken geleden nog bijgebleven van Oliebol — van mijn oude gekke vriend Heinrich Schaumann, die trouwe, brave, luie, dikke, brave vriend Heinrich Schaumann, bijgenaamd Oliebol?

En nu was hij opeens weer helemaal terug! Net zoals de onlangs gestorven Störzer weer helemaal terug was. En het zou onvergeeflijk van me zijn als ik de eerstgenoemde niet onmiddellijk een bezoek bracht — nu, zolang het nog kon, nu de laatstgenoemde me weer eens een keer had doen ervaren hoe snel je zo'n laatste goede gelegenheid kunt verzuimen.

Ja, echt, toen we van school gingen had hij, Heinrich, tienduizend keer kunnen leven en sterven zonder dat ik, vanwege mijn eigen leven en sterven, ook maar het kleinste beetje extra tijd voor hem had gehad.

We gingen nu eenmaal uiteen rond de tijd dat je de allerminste tijd voor elkaar hebt. Het gemak van de hedendaagse correspondentie verandert daar niets aan, want wie schrijft er vandaag de dag in de postkaartenperiode nog brieven?

Ik zie de hele tweede helft van de achttiende eeuw en ruim een derde deel van het negentiende met het hoofd schudden en denk, aan de ontbijttafel in de herberg van mijn geboortestad: ten minste één keer hadden jullie elkaar toch kunnen schrijven, jij en je vriend Heinrich.

Nou, alles overziende en eerlijk gezegd: teerhartig waren we ook in het dagelijkse verkeer niet met elkaar omgegaan. Maar dat wat je, en in die levensfase in het bijzonder, goede schoolvrienden noemt, dat waren we toch geweest. Wie van ons tweeën de ander af en toe de meeste haren had uitgetrokken, de blauwste builen en dikst gezwollen ogen had bezorgd, dat is heden een onuitgemaakte zaak. Het kwam er nu op aan wat de tijd met die dikke, goeie jongen had gedaan, of hij erg was veranderd en of hij ten gevolge van die verandering in staat was nu, zoals eertijds boer Quakatz, de deur van de Rode Schans voor mijn neus dicht te slaan of dat hij, na de gebruikelijke verlegen-radeloze vraag 'Met wie heb ik de eer?' zijn twee handen naar me zou uitstrekken en min of meer op dezelfde schooltoon zou zeggen: 'Godallemachtig, ben jij het, Eduard? Nou, maar dat is mooi dat je je mij nog kunt herinneren!'

Gezien het feit dat hij 'ver buiten de bewoonde wereld' woonde, zag ik geen reden me te houden aan de vaste tijden die in grote, middelbare en kleine steden voor bezoek te doen gebruikelijk zijn en was tegen negen uur 's ochtends naar hem onderweg.

Echt een heerlijke ochtend. In de stad had de politie er met lofwaardige strengheid op toegezien dat de straten schoongeveegd waren en buiten in het vrije veld had moeder natuur ervoor gezorgd dat alles er schoongewassen bij stond. Ja, ze had het zelf opgeknapt, met spons en zeep, met donder en bliksem; en zoals bij frisgewassen kinderen hingen bij boom, struik, gras en bloem nog de tranen van die operatie aan de wimpers, en bij deze of gene kon je ook goed zien hoe er trappelend en spartelend verzet was geboden. Niet getreurd, het was achter de rug, en het zag er nu dan toch maar mooi schoon uit. De wereld lag er stralend bij, en dat er een fris, weldadig briesje overheen ging, deed aan het genot van de ochtend geen afbreuk. — Daarginds in het maagdelijke Kafferland bij de Bantoes en de Boeren had het landschap er na een nachtelijk onweer niet jeugdiger uit kunnen zien dan hier in het oude, door de noden van talloze millennia versleten, uitgeloogde Europa.

En alles nog precies zoals in jouw tijd, Eduard! zuchtte ik met weemoedige bevrediging. Maar dat was toch niet honderd procent het geval.

Daar had je bijvoorbeeld, als je wat beter keek, vroeger rechts van de weg die naar de Rode Schans leidt, een vennetje van ongeveer zo'n vier à vijf are groot, of eigenlijk een moeras en — dat was er niet meer.

Ooit vol geheimzinnig wemelende wonderen, hadden ze er nu een min of meer vruchtbaar aardappellandje van gemaakt, en hoe nuttig dat misschien ook was, vroeger was het toch bepaald mooier geweest en 'leerzamer' bovendien! Dat amfibieënvennetje kon met het volste recht eisen dat ik er met ongelovige ogen naar zit uit te kijken en het daarna pijnlijk mis. Zo'n goede bekende, zo'n vertrouwde vriend zelfs, zo vol met kalmoes, gepluimd en gekolfd riet, kikkers, slakken, waterkevers, zo overzwermd door libellen, zo overfladderd door vlinders, zo met wilgen omkranst en zo, nou ja, geurig. Ja, geurig, ja zo heerlijk stinkend, vooral op hete zomerdagen, al was ons 's middags in de biologieles voorgehouden: 'In het amfibieënvennetje is alles te vinden waar we ons in deze les mee bezighouden, in een uitzonderlijk complete soortenrijkdom.'

Dat hadden ze, godnogaantoe, kunnen laten waar 't was. Ze hadden het moeten laten waar ie was, mopperde ik op mijn huidige weg naar de Rode Schans. Op die paar zakken met veldvruchten voor hun vee of henzelf kwam het toch niet aan!

Maar het was er wel degelijk op aan gekomen, en dus was er nu niets meer aan te doen, en ik moest me domweg neerleggen bij het verlies. Wat ging het mij in mijn onwetendheid ook aan dat de 'bodemverbetering' een langdurig door talrijke instanties uitgevochten proces betekende en vier stedelijke moestuindersfamilies hun ziel en zaligheid had gekost?

Er was een ander proces dat al vanwege mijn vroege jeugdherinneringen een heel andere betekenis had: het nare geval Quakatz inzake Kienbaum. Hoe langer ik op de smalle, mooie landweggetjes tussen de golvende, door de ochtendzon beschenen, vochtig-frisse, naar oogst neigende, rijpende korenvelden in de richting van de Rode Schans wandelde, des te duidelijker kwam de sindsdien volledig verstomde opwinding van stad en land van mijn jeugd wegens de moord op Kienbaum terug in mijn herinnering. Met steeds weer nieuwe details, het ene nog interessanter dan het andere!

Drie keer hadden ze de toenmalige baas van de Rode Schans, boer Andreas Quakatz, in voorlopige hechtenis genomen omdat er inzake Kienbaum nieuwe belastende aanwijzingen waren gevonden. En drie keer hadden ze hem, boer

Quakatz, ongestraft moeten laten lopen, omdat die aanwijzingen en vermoedelijke bewijzen steeds weer bleken te zijn wat ze waren, te weten min of meer lichtvaardige en soms ook achterbaks en kwaadaardig geuite insinuaties.

'Ja, Eduard, wie heeft Barbertje vermoord?' vroeg Heinrich Schaumann, bijgenaamd Oliebol, droefgeestig, hoofdschuddend en zich achter zijn iets te ver afstaande oren krabbend, toen ik met hem na de allerlaatste schooldag nog één keer de weg omhoogklom naar het punt van waaruit je het bolwerk van de Comte de Lusace, de prins Xaver van Saksen, voor het eerst volledig in zijn goed geconserveerde staat in het zicht kreeg. Het is hetzelfde punt waar ik in mijn nachtelijke halve en hele droom bleef staan om de brieven te sorteren onder de oude haagbeuk tegenover de damweg die — ook vandaag nog — over de gracht naar de toegangspoort van Quakatz' havezaat loopt.

Die haagbeuk miste ik deze keer. Hij was net als de amfibiotoop aan de 'bodemverbetering' ten offer gevallen. Hij had waarschijnlijk voor de hongerige behoeftes van de huidige tijd te veel schaduw op het akkerland geworpen of zijn wortels te ver in de ondergrond ervan uitgebreid. Maar, godzijdank, de Rode Schans was er nog, zoals hij wis en waarachtig niet ter verbetering van bodem en omgeving in het jaar zeventienhonderdeenenzestig door de grimmige Mol Oorlog uit het aardrijk was opgeworpen. En ik stond er nu weer recht voor en dacht terug aan ons beiden: Heinrich Schaumann, bijgenaamd Oliebol, en ik, en aan datgene wat Oliebol toen uit kersverse betrokkenheid over de zaak Kienbaum contra Quakatz of Quakatz contra Kienbaum en (wat er min of meer mee in verband stond) over Tientje Quakatz had opgemerkt.

Hij had bepaald niets weg van een aankomende ijverige godgeleerde; want bij dat soort jongeheren komt gewoonlijk de corpulentie die hij, Oliebol, toen al tentoonspreidde, pas later, wanneer ze op hun voedzame pastorie inhalen wat ze in de gratis mensa hebben gemist. Maar hij had een goed hart, een bovenstebest hart. Uit liefde voor zijn ouders deed hij tenminste zijn best de hongerproef van dit groeizaamste beroep op aarde te doorstaan. 'Wat doe je niet allemaal voor een niet alleen halsstarrige maar ook betraande mama en een papa die zich voor zoonlief de vanzelfsprekend beste brood-op-de-plankstudie in hun kop hebben gezet? Je wilt immers van die grijze oudjes niet hun schoonste verwachtingen de grond in boren. En iets willen die twee brave lieden er toch ook voor terugzien dat ze je op deze wereld vol afgekloven botten, droge broodkorsten en hoogst gezond, helder, verkwikkend en vooral goedkoop bronwater hebben gezet, Eduard!'

Die zojuist door mij neergeschreven en van een trouw, hartelijk, kinderlijk gemoed getuigende uitingen diep ik uiteraard ook op uit mijn geheugen. Met dergelijke verzekeringen troostte hij zichzelf regelmatig in de laatste jaren voor ons eindexamen. Maar toen, die dag toen we zo niet onze jeugd dan toch onze kindertijd vaarwel zeiden en waarop we voor lange, lange tijd voor de laatste keer onder Störzers haagbeuk voor de Rode Schans stonden, zei hij heel wat anders; hij zei: 'Daar heb je d'r! Midden tussen het krijgsvolk. Hoor me en kijk me die honden eens, hoe die onze kant op blaffen en hun tanden laten zien! Geweldige beesten! Als er iets is in mijn leven waar ik van heb genoten, dan was het wel van die honden. Kijk maar eens hoe goed ze hun opdracht hebben begrepen en hoe goed ze in staat zijn al het overbodige gespuis verre te houden van Tientje Quakatz en de Rode Schans. Zeg nou zelf: had die belachelijke Mesjeu in Franse dienst, die weledele graaf van de Lausitz, die meneer de keurprins Xaver van Saksen, die wal daar beter kunnen wapenen dan boer Quakatz?'

'Nou ja, Heinrich, het is van hetzelfde laken een pak: huis, hoeve en vestinggracht — vader, dochter en wachtkordon.'

'En of, godzijdank! En nu wil ik je nog iets zeggen, Eduard, neem het me alsjeblieft niet kwalijk. Namelijk dat ik toch liever had gehad dat je niet zo eensgezind met mij deze kant op was getippeld. Met ons afscheid in het verschiet en om voor Damon en Pythias, David en Jonathan te kunnen spelen, of hoe al die modelvrienden verder ook mogen heten, hadden we bij andere gelegenheid ook een wandelroute in tegenovergestelde richting van de stad en de Rode Schans kunnen nemen. Maar aangezien je een goeie kerel bent en een echte vriend, mag je wat mij betreft blijven, nu ik het toch niet meer kan veranderen. Maar wees alsjeblieft zo vriendelijk jezelf mondjedicht in rook op te laten gaan, en me straks, daarbeneden bij onze verdere kennissen niet belachelijker te maken dan nodig is. Ik ben nu eenmaal gek op de Rode Schans, en dat arme wicht tussen haar hondenmeute kan het niet helpen dat ik even gek ben op haar. Zo staat het nu eenmaal in de boeken en ik moet mijn noodlot in stilte slikken. Hé, goeiedag, juffrouw Valentine.'

'Dag, jongeheer Schaumann.'

Zoals ze daar met haar armen over elkaar gekruist tegen de pijler van de toegangspoort leunde, zag ze er niet uit alsof het serieus haar bedoeling was wie dan ook in de wereld een goede dag te wensen. Je keek onwillekeurig even of ze niet ergens bij de ingang van de Schans een geladen geweer klaar had staan, respectievelijk een scherp, spits mes in haar rechtervuist onder haar linkeroksel verborgen hield dat ze elk moment kon trekken. Ook had ze iets weg van een wilde kat die in geval van nood geen kunstmatig wapen nodig had en alleen even haar natuurlijk gegroeide klauwen over je gezicht hoefde te trekken en zich met haar tanden in je vast hoefde te bijten om in elk gevecht voor zichzelf en ter verdediging van haar vaders huis, hof en haard de overhand te behouden.

Niet groot en niet klein, niet mager en niet vet, niet mooi en niet lelijk, niet stads en niet boers, geen kind en geen dame, zo stond ze daar, Valentine Quakatz, de enige dochter van de boer-moordenaar, en bewaakte haar vaders bloedig beruchte erf, de Rode Schans, in het vredige, zonovergoten, loofgroene, korenblonde landschap.

Dit keer roep ik niet: 'Hier is jullie post, je brieven en je krant, jij rooie gifkat!' als waarnemer van Störzers ambtelijke taak aan de poort van de Rode Schans. Maar zij, dochter Quakatz, maant net als bij die gelegenheid, met bijna dezelfde wonderlijke uitroepen van toen, de honden tot kalmte. De beesten binden langzaam en met tegenzin in en houden ons onafgebroken en wantrouwend in het oog.

'Vader is niet thuis,' zegt Valentine. 'En de rest is buiten op het veld,' voegt ze eraan toe.

'Mooi!' zegt Oliebol. 'Dan zijn we weer eens een keer onder ons, Tientje; want hem daar heb ik zo-even al voldoende te verstaan gegeven dat hij zichzelf momenteel compleet als lucht moet beschouwen. Natuurlijk, als hij niet mijn beste vriend was, zou ik hem mijn mening over zijn volstrekte overbodigheid hier en nu nog duidelijker aan zijn verstand hebben gebracht. Maar hij is mijn vriend, Tientje, en dus ook de jouwe, voor zover hij me niet in de weg zit natuurlijk; en zo dom ben je niet, meisje, dat je niet haarfijn weet dat hij over jullie en over de Rode Schans net zo haarfijn is geïnformeerd als de overige, edele, christelijke mensheid in een straal van tien kilometer. Goddomme, alleen daarom al zou je van ganser harte theologie willen studeren, om ze vanaf de kansel eens eventjes goed de huid vol te schelden, die edele mensheid namelijk. En laat ons nu eindelijk eens binnen. Om straks onze laatste neus vol stank van de Rode Schans mee te kunnen nemen naar de zuiverdere, betere lucht daarbuiten, buiten die genoemde straal van tien kilometer.'

Om zich 'verbaal te uiten', zich van de 'gave des woords' te bedienen, kortom om te preken, was hij altijd haantje de voorste, die dikke Heinrich. Als het erop aan was gekomen, zou hij vandaag de dag zoal niet paus van Rome, dan toch op zijn minst kardinaal of aartsbisschop en wis en waarachtig niet de huidige boer op de Rode Schans zijn.

'Waar is de ouwe dan wel?' vraagt hij eerst nog voor de zekerheid.

'Weer naar de rechtbank in de stad,' zegt grimmig de dochter en erfgename van de Rode Schans. 'Hij heeft het weer eens aan de stok gekregen met de burgemeester van Maiholzen en de vuist geheven voor zijn domme gezicht en hem vanwege de oude zaak met Kienbaum opnieuw een judas genoemd. En toen is hij opnieuw aangeklaagd.'

En Oliebol laat horen dat hij buitengewoon gevoelig kan fluiten. Hij laat zijn gevoelens wegsterven in een langgerekte cadens, om ze vervolgens daadkrachtig opnieuw uit te drukken door zijn arm om de heupen van het meisje te slaan en richt zich dan tot mij: 'Mooier hadden we het weer eens niet kunnen treffen.'

Maar dan gebeurt er iets dat mij die sinds lang tot het verleden behorende dag van mijn jeugd levendiger dan welke dag ook voor de geest brengt: Valentine Quakatz geeft haar wachtpost aan de poort van de Rode Schans prijs — totaal! De boos op elkaar geknepen lippen beginnen te trillen, het meisje vecht, vecht met haar tranen, maar die zijn sterker dan zijzelf. Tientje snikt, huilt tranen met tuiten en vliegt Oliebol niet aan met haar vingernagels in zijn gezicht, maar slaat haar armen om hem heen, hangt om zijn hals en jammert: 'Heinrich, je bent zó slecht!'

'Nou, nou!'

'Je bent net zo slecht als de rest van de wereld.'

'Nou, dan laat je toch gewoon je bloedhonden op me los, stomme meid! Wat zeg je me daarvan, Eduard? Ik zo slecht als de rest van de wereld?'

Ik zeg helemaal niks. Ik sta daar als een jandoedel met open mond en zie hoe van zijn kant de dikzak het meisje, alsof het de doodgewoonste zaak van de wereld is, in zijn armen houdt, haar op de rug klopt, over haar haar strijkt, haar kin optilt en haar een kus geeft. Ik zie hoe hij moeizaam hengelt naar een zakdoek in zijn jaszak, hoe het hem lukt die op te diepen en hoe hij daarmee het meisje (een méisje, een vreemd, volwassen meisje!) de tranen uit haar ogen veegt, en ik bekijk Oliebol op slag met heel andere ogen dan voor dit verbluffende tijdstip. Met een bloedrode kop had ik me het liefst achter de verste horizon verscholen maar tegelijk wel eens even willen weten wie mij nu met succes bij de elleboog had kunnen nemen en zeggen: 'Kom, Eduard, jij hebt hier absoluut niks te zoeken!' —

Gelukkig heeft Oliebol de handen vol aan het meisje en slechts af en toe een beleefde opmerking over voor mij.

'Schat van een gans, is het soms *mijn* schuld? Dacht je dat ik uit vrije wil wegga? Ben ik niet gedwongen, aan mijn ouders verplicht om tenminste één keer voor mijn tentamens te zakken? Hoe graag ik om jou hier zou blijven, Tientje, dat weet je, dus wees een verstandig meisje en stop met dat domme gesnotter. Kijk nou toch hoe bedremmeld die hark van een Eduard daar staat te kijken en zit te bedenken wat hij thuis allemaal kan gaan vertellen! Hier, neem mijn zakdoek maar weer even, en nu houd je op ons hier in de openlucht te blameren. Dacht je dat die weledele graaf van de Lausitz deze wal heeft opgeworpen opdat Heinrich Schaumann, bijgenaamd Oliebol, zich voor dat nest daarbeneden van zijn zwakste kant laat zien? Verbeeld je dat maar niet. Ooit bombardeer ik van hieruit die hele kleinburgerlijke kliek daar, en wel zodanig dat die keursaksische Xaver-de-Kwibus zich nog tot op heden als gebalsemde leer- en bottenbundel in zijn vorstelijke grafkelder zal liggen te verheugen. Kom op, Eduard, nu je toch eenmaal hier bent; we willen eindelijk naar binnen, want het is namelijk niet zo, Eduard, dat je om geheel vrij te kunnen ademhalen in de openlucht moet wezen, een ervaring, beste kerel, die ik gratis voor eigen gebruik aan je doorgeef. Domme grappen accepteer ik uiteraard niet, hier op dit moment niet en straks in de stad daarbeneden ook niet, in de kring van geachte familieleden of naaste en verre kennissen. Dus wij drieën zijn helemaal alleen op de Rode Schans? Prachtig! Wijs dan je beesten er zo nadrukkelijk mogelijk op wat hun taak behelst, Tientje.'

Valentine wendt zich tot haar vierbenige wachtpeloton, houdt ze haar gebalde vuist voor en schudt die vervolgens tegen het lachende, vriendelijke zomerlandschap aan de overkant van de ringwal. Dat betekent dat die meute, nog minder dan anders, iemand in het bolwerk van de graaf van de Lausitz mag binnenlaten. En de boodschap wordt begrepen en met een dof, venijnig gehuil en geknor beantwoordt; wij drieën echter hebben nu waarachtig het geluk voor ons alleen op de Rode Schans. —

Wat je te zien kreeg nadat je de honden en de poort achter je had gelaten, zag er nou niet bepaald opwekkend uit. Verwilderd en verwaarloosd lag alles erbij, al het werk maar half, slordig en met tegenzin gedaan. De tuin en het erf waren niet op orde, en het huis en de schuur waarschijnlijk ook niet. Alle werktuigen lagen of stonden kriskras in het rond, zoals men ze uit handen had laten vallen of achteloos opzij had geschoven. Struiken en onkruid tierden welig. Nergens kon de gier het beter naar de zin hebben dan op de Rode Schans, waar hij geheel naar eigen voorkeur mocht weglekken. De kippen scharrelden in de tuin waar ze maar wilden. Eenden en ganzen waggelden eveneens over het erf en in het huis zoals het ze uitkwam. Aan het vee in de stal was te zien dat de baas dikwijls niet thuis was en dat hij er als dat wel het geval was, nauwelijks naar omkeek. Dat het kind het huis niet in haar eentje aankon en de knechten en de meiden er daarom ook maar weinig werk van maakten, was niet over het hoofd te zien. Wat de lamlendigheid van de laatstgenoemden betreft, die was allesbehalve toevallig. De boer van de Rode Schans moest voor wat de keuze van zijn personeel betreft nu eenmaal genoegen nemen met wie overal was geweigerd — met het tuig en de rotte appels van de streek.

Een fatsoenlijk iemand, een net meisje, kon maar beter niet op de Rode Schans gaan werken en proberen de zaak aan kant te krijgen. Van een hoog loon en een goede behandeling was geen sprake. Aan elke cent die boer Quakatz uit zijn beurs haalde zat immers een bloedgeur. Wie van de Rode Schans kwam en een andere betrekking zocht, droeg diezelfde geur met zich mee en werd met opgetrokken neus in alle duidelijkheid naar het volgende deurtje verwezen. Zolang niet boer Quakatz had bekend dat hij Kienbaum had doodgeslagen of de boerderij op de Rode Schans onder de hamer was gekomen, of nog beter voor Maiholzen, naar alle kanten was kaalgeplukt, viel daaraan niets, maar dan ook in het geheel te veranderen. En de erfdochter van de Rode Schans, Valentine Quakatz, veranderde daaraan ook niets, helemaal niets; ze had haar bittere portie van die kwaadaardige vogelvrijverklaring mede te slikken. Het is Oliebol die, nu de lange golven van de wereldzee de Hagebucher weer naar mijn nieuwe vaderland dragen, vraagt: 'Wat dacht je, Eduard? Ziet het er hier niet knus uit?' —

De knecht en de meid hebben, nu de boer voor de zoveelste keer inzake 'belediging, en aantasting van eer en goede naam' van huis is, hun werk naar eigen goeddunken in de buitenlucht gezocht, liggen misschien wel ergens onder een struik en laten Gods water over Gods akker stromen. Niets te horen wijd en zijd, behalve het gesjirp van de krekels en het getjilp en gekwetter van kiftende mussen op de daken of in de heggen! Ook Tientje hoeft haar tranen niet langer woest uit te snikken of verbitterd-giftig weg te slikken. Ze is ons voorgegaan naar de goede kamer, zonder te hebben omgekeken of we haar wel zijn gevolgd. Dat hebben we gedaan, zij het ietwat schuw en bevangen, en nu zit ze aan tafel met haar rug tegen de muur en heeft beide armen op het door ouderdom zwart geworden tafelblad gelegd met haar handen plat voor zich uitgespreid; en Oliebol en ik staan voor haar en kijken, in het donkere, lage vertrek door het licht van buiten verblind, op haar neer. Je kunt een mijl in de omtrek elke vlieg horen zoemen. Ja, die vliegen van de Rode Schans! Die hebben de verschansing van prins Xaver van Saksen ook niet opgegeven. Ze zijn er nog, in de kamer van boer Quakatz, of hij Kienbaum nu heeft doodgeslagen of niet. Er is niets binnen de vier muren wat ze niet hebben bevuild, vooral de afbeeldingen aan de wand: de Tien Geboden, de Begrafenis van de Jager, de beroofde man uit het evangelio. Aan die begrafenis van de jager hebben ze met alle overige dieren intensief deelgenomen en ook later de doodskist alle eer bewezen. Niet minder aan het gebod: Gij zult niet doden. Overigens hangt er geen moderner schilderij voor ze te kijk aan de muur. Aan de Rode Schans uit de Zevenjarige Oorlog is sindsdien de wereldgeschiedenis spoorloos voorbijgegaan. Geen oorlogstafereel uit Neu-Ruppin met de stormloop op de Düppeler Schans, niets over achttienzesenzestig, niets over achttienzeventig! Geen keizer Wilhelm, vorst Bismarck of graaf Moltke! Wat kon de boer van de Rode Schans de wereldgeschiedenis schelen? Hij had zijn Kienbaum; hij had al veel te zwaar te tillen aan zijn eigen bestaan op aarde om zich daarnaast nog om dat van andere mensen druk te kunnen maken, al waren het ook de meest prominente ter wereld. Die wereld had overal waar hij in zijn huis naar de wand staarde een Kienbaum opgehangen, en zonder dat hij er schilderkunst, glas of lijst voor nodig had: hij zag de man op elk moment, zelfs met zijn ogen dicht, zo duidelijk voor zich als geen schilder, zelfs de allerbeste niet, hem had kunnen schilderen.

Ik kijk schaapachtig en onrustig van de bonte serie van

de Tien Geboden naar het meisje dat ons aan zit te staren, als Heinrich zegt: 'Nou, Tientje, hou op met dat domme gedoe en staar ons niet aan alsof je de twee beste Latijn-en-Grieksprofs van de huidige Paasafzwaailichting (grijns niet zo, Eduard!) van hun gevoel voor eigenwaarde wilt beroven. Ja, arm ding, de zoete kindertijd ligt nu definitief achter ons, de ernst des levens (niet huilen, Eduard!) begint, en als we nog in minder domme tijden leefden, zou ik voorstellen, mijn lief: stijg achter je ridder te paard, sla je arm om mijn middel en hou je goed vast. Ga gewoon met me mee. Maar dat is niet mogelijk, Eduard. Wat kunnen wij eraan doen dat wij, als ezel geboren, voor deze ene keer nu eens geen paard worden? Dat we morgen met de trein moeten vertrekken? Tientje, mijn allerliefste Tientje, wat kijk je nou; wat ik voor mijn geachte ouders na mijn eerste semester meebreng naar huis weet ik niet; maar voor jou breng ik je oude Oliebol weer mee. Zowaar nu de hemel boven ons blauw is en het land alsmaar groener en groener wordt, ik wil niet voor niets dagelijks mijn pak rammel voor de Rode Schans hebben gekregen! Ik wil niet voor niets mijn enige aangename uren in dit tranendal hebben doorgebracht, op de uitkijk tegenover de oude Quakatz en zijn kleine Tientje. Als u er prijs op stelt, juffrouw Tientje, kan ik u dat zwart-op-wit geven!'

Er lijkt een rilling door het hele lijf van de dochter van de oude Quakatz te gaan, maar dan zegt Valentine: 'Ik wil niets zwart-op-wit. Wat zwart-op-wit hier binnenkomt, neemt mijn vader ook alleen maar in ontvangst als het op de mestvork wordt gelegd en aangereikt. Daarna pakt hij het beet als hete kolen. En jij, jij, jij — 't zou beter zijn als helemaal niemand een tong had om te spreken, te liegen, te pesten — jij ook!'

'Ik ook?' vraagt Oliebol, zij het zonder enig teken van verrassing, gekrenktheid of verontwaardiging. Terwijl hij zich half tot mij wendt, zegt hij: 'Een beetje dichter mag je, zelfs onder de huidige tragische omstandigheden, wel bij jezelf blijven, Tientje; en jij, Eduard, nu kun je echt eens wat leren voor de praktijk van het dagelijks leven. Jij ook! Geweldig, wat ik daar gezegd krijg, en moet je zien wat voor gezicht ze bij die malligheid trekt. Dat komt er nu van als je van jongs af aan je mooiste vrije zomer- en wintermiddagen inclusief de vakanties aan een vrouwspersoon hebt besteed. Heeft de dame in kwestie er misschien enig idee van hoeveel pak slaag et cetera je vanwege haar van verwekkers en leraren hebt geduld, zonder boe of bah te zeggen? — Jij ook! Meisje, meisje, als dat schaap van een Eduard hier niet naast ons stond, zou ik jou en die mesjogge oude kerel en de Rode Schans van mijn genegenheid getuigen op een manier waar de honden geen brood van lusten.'

En opnieuw schokken even de schouders onder haar boerenbonte omslagdoek. De erfdochter van de Rode Schans, min of meer tot bezinning gebracht, gluurt nu als een maar half getemd, geïntimideerd dier naar de toekomstige kandidaat en student van alle denkbare brood-op-de-plankstudies, Schaumann; ze wil met allebei haar vuisten op tafel slaan, maar het gaat niet. Met haar armen slap langs lichaam snikt ze: 'Ik heb niemand gevraagd zich om mij te bekommeren!'

'Nee,' zegt Oliebol, 'daar heeft ze gelijk in, Eduard! Ik ben helemaal uit mezelf gekomen en heb me over haar ontfermd. Jij kunt het weten, Eduard.'

Zo precies als mijn vriend dat scheen te bedoelen, wist ik het dan toch niet. Ik wist maar één ding, en wel dat er gedurende onze 'jongenstijd' in dit opzicht en volgens het ouderlijk huis en de school geen doldriestere belhamel was dan Heinrich Schaumann, bijgenaamd Oliebol. Zoals ik met de plattelandspostbode Störzer was meegewandeld, zo had hij zich op de Rode Schans gefixeerd 'als een kat voor het muizenhol', zoals hij het uitdrukte. Om met iemand te gaan wandelen, laat staan de vaart erin te houden, daar was de gemoedelijke knaap veel te lui voor; maar zich door een wal van rijstebrij zijn weg eten naar Luilekkerland, dat kon je hem toevertrouwen, en zo had hij tot nu toe bij iedereen, ook bij mij, te boek gestaan. Dat was echt het enige wat ik wist, toen op die afscheidsdag over zijn relatie met het meisje, Tientje, Valentine Quakatz. Met mijn dommejongensverstand van toen wist ik niet beter dan dat dat kopschuwe, verwilderde, roodharige meidje van boer Quakatz nauwelijks een rol van betekenis speelde bij zijn verliefdheid op de Rode Schans van prins Xaver van Saksen. Ik en mijn toenmalige omgeving konden toch werkelijk niet vermoeden dat Oliebol ook in die richting in staat was tot romantische gevoelens.

Er hing in het lage, zwarte vertrek geen lucht om blij van te worden. En boer Quakatz had op de zwarte vloer een duidelijk spoor van het raam naar de kachel ingesleten.

'Zo loopt hij al zolang ik het me kan herinneren,' zegt zijn dochter, 'en ik zit hier en hoor hem met zichzelf praten, de halve nacht, tot hij mij mijn bed in jaagt. Jij, Heinrich, moet zelf weten waarom je naar me toe bent gekomen en je zinnen op de Rode Schans hebt gezet; maar je vriend, meneer Eduard, die meneer Eduard, die kan onmogelijk weten hoe het mij hier bij jouw afscheid te moede is. Maar misschien wil hij later ooit zo vriendelijk zijn te getuigen dat ik je na mijn dood de Rode Schans heb nagelaten met alles wat daarbij hoort; want mijn vader heeft toch niemand anders om in zijn testament te zetten, behalve mij en de honden buiten bij het hek. Wilt u zo goed zijn, meneer Eduard, nu u vandaag toch bent meegekomen, om later ook voor de rechtbank te verklaren dat als mijn vader en ik niets meer van de wereld nodig hebben, de Rode Schans enkel en alleen aan meneer Schaumann toekomt?'

Hoe iemand, iemand met zijn constitutie, het zo snel klaar wist te spelen weet ik niet, maar het feit lag er: hij, Oliebol, zit achter de oude eettafel van hoeve Quakatz naast de erfdochter daarvan en heeft zijn arm om haar schouder gelegd en roept: 'Nu is het afgelopen! Domheid kun je door de vingers zien, maar er zijn grenzen, zegt collega Klinkhamer daarbeneden, Eduard. Bekijk nog één keer de Quakatzenburcht van binnen, ouwe jongen. Wie weet of je hem ooit van je leven nog zo terug zult zien. Ziehier mijn ideaal, mijn kasteel, mijn huis! Met buiten de lieflijke contreien waar wij als jongens speelden. Morgen dus de Universitas litterarum en de hoge zee des levens! Vervloekt poëtisch en verlokkend voor twee scheidende gymnasiasten. Wrijf je ogen droog, rare boerengans, en doe me een lol en kom weer mee naar buiten. *Vivant omnes virgines*, kom virgo, niet krabben of spugen, virago! Ja, spartel maar tegen, meisje! Ze zullen me daarbeneden niet voor niets Oliebol hebben genoemd; ik zal ze eens even laten zien wat het hart en de maag goeddoet.'

Hij had het meisje bij haar middel gepakt, tilde haar vanachter de boereneettafel op, droeg haar weg, het huis uit en zette haar weer neer op de wal van prins Xaver van Saksen. Valentine verzette zich niet, en ik, ik volgde, verbluft, verdoofd, aarzelend, kortom: Oliebol zou hebben gezegd: 'als een schaap!' En gesteld dat Oliebol nu ook nog twee vleugels had gekregen en met de erfdochter van de Rode Schans, met het kind van Kienbaums moordenaar, langzaam, aldoor maar hoger en hoger en hoger in de blauwe lentehemel was opgestegen, ik had niet geprotesteerd en hooguit nog kunnen stamelen: Het zal toch niet waar zijn?

We stonden weer op de groengrazige burgwal van het oude krijgskunststuk van de weledele graaf van de Lausitz, wij twee aankomende studenten en Valentine Quakatz, Heinrich en Tientje arm in arm.

Plotseling stootte die gekke kerel, Oliebol, een juichkreet uit, sloeg me op mijn schouders zodat mijn knieën het begaven en zei met een stem die uit het diepst van zijn buik leek te komen: 'En het is, alles bij elkaar opgeteld, toch zo ongezellig niet dat de Saksen en de Fransen anno zeventienhonderdeenenzestig dat nest daarbeneden niet compleet hebben weggevaagd en daarmee ook ons onmogelijk gemaakt. Hoe lief en onschuldig het er in feite bij ligt en door de voorzienigheid en ondanks de Zevenjarige Oorlog is blijven liggen! Ja, dierbaar stukje grond, waar wij als jongens speelden — Eduard! Werp er nog een blik op, ouwe jongen, en ga heen en bekwaam je, opdat ook jij je ooit zijn glorie waardig zult betonen en zijn reputatie bij de mensen hooghoudt. Maar jij, Tientje, hoeft daar niet aan mee te doen. Wat jij en ik en je papa daarvan te verwachten hebben, dat weten we, en vanuit dat, ons perspectief, speel ik het misschien toch klaar daar prediker of officier van justitie te worden. Een standvastige, duurzame kansel zou echter bij die eerstgenoemde leer- en strafdiscipline niet misstaan,' zuchtte hij, terwijl hij zijn grove, rechtschapen rechterhand eerst bekeek om hem vervolgens tot een vuist gebald, zijn geboortestadje daarbeneden schijnbaar eveneens ter voorzichtige, nauwkeurige inspectie voor te houden.

'Daar zitten ze nu op hun piëdestals, jouw en mijn ouwelui, Eduard, en ze hebben geen flauw benul vanaf welke hoogte Oliebol ze bekijkt, of zoals jullie je plegen uit te drukken, op ze neerkijkt.'

'Gouden avondzon, wat zijt ge schoon!' neuriede ik, alsof ik op een ander thema wilde overgaan; maar Oliebol liet zich meestal niet zomaar van een eenmaal begonnen gedachtegang afbrengen.

'Tuurlijk, wonderschoon; vooral nu het ons is vergund op dit talud van de prins van Saksen van de eindelijk verworven vrijheid te mogen genieten waarlijk mens te mogen zijn. Kijk maar, daar vlamt hij in de vensterruiten van de schoolkerker en ook in die van onze provinciale gevangenis. Als dat niet feeëriek is! Heb je nu echt nooit de behoefte gevoeld, vriend van mijn kinderjaren, o Eduard, om in tijden van bevordering naar een hogere klasse van veredelde Duitse mensvorming je gruwelijke ouweheer daar achter de tralies onschadelijk gemaakt en veilig opgeborgen te weten?'

En deze man hadden we niet alleen voor de dikste, luiste en gulzigste onder ons gehouden, zelfs niet slechts voor de domste onder ons, maar voor een domkop zonder meer, ezels die we waren!

En wie hem ook nu weer niet van zijn gedachtegang afbracht, maar hem daarin met bedachtzame, kalme pas bevestigde, dat was niet de keurige, welopgevoede, van de beste eindexamencijfers voorziene Eduard van de Post, maar dat was Tientje Quakatz van de Rode Schans, van wier vader men helaas niet had kunnen bewijzen dat hij Kienbaum had doodgeslagen die daarom indien niet door gehele wereld, dan toch door zijn naaste omgeving (wat hetzelfde is) in de ban was gedaan en in één moeite door zijn dochter natuurlijk ook.

Valentine Quakatz had ook vanaf de schans van prins Xaver, vanaf haar verfoeide wal op de stad en de in de zon flikkerende vensters neergekeken; nu wendde ze zich af en wreef met haar hand en een slip van haar schort over haar ogen.

'Er is een beestje in mijn oog gekomen, of het is die felle glans waar ze van tranen; en jullie — jij denkt weer dat ik zit te huilen.'

En ze balde haar vuist en schudde hem naar de flikkerende vensters van het provinciale gevangenisgebouw.

'Maar ik huil niet. Ik wil niet. Heinrich heeft helemaal gelijk, het is stom alleen maar te huilen. En dat schelle licht bijt ook alleen maar in mijn ogen omdat ik hier net zolang heb moeten staan als hij daarachter zat, daarbeneden achter die raampjes, in zijn gevangenis, mijn vader, mijn lieve, allerliefste vader. En omdat ik niemand had —'

'En omdat ze niemand had behalve mij, Eduard. En omdat ik nu ook weer wegga, terwijl zij weer eens een keertje zonder hem zit. Nou ja, zo zie je maar weer, beste Eduard, hoe het leven is en hoe het plezier dat je eraan beleeft er altijd maar als een laagje schuim bovenop drijft. En verplaats je nu alsjeblieft eens in mijn positie en probeer ook, domme sukkels die jullie zijn, ondanks je lieve ouders en alles wat daarbij hoort, om uit zo'n opgejaagd, verwilderd krabbekatje weer eens een schattig, aardig, keurig, snorrend, kirrend, lief, allerliefst klein meisje te maken. Kom, doe eindelijk die schort van je ogen en kijk me ermee aan; anders worden mijn ogen ook branderig en dat wil ik die verstandige, belezen Eduard toch niet aandoen. Zo is het goed, en laten we nu even de tanden op elkaar zetten. Ik kan er waarachtig ook niks aan doen dat andere mensen beweren het recht te hebben iets anders van mij te maken dan wat ik in me heb. Hier, hand erop, Valentine Quakatz: ik kom terug en behoud zolang al mijn rechten op dit plekje aarde, en Kienbaum zaliger kan wat mij betreft de pot op. Zeg tegen je vader als hij weer thuiskomt dat ik dat gezegd heb, Tientje! En jij, piekfijne Eduard, vooruit, werp nog maar een laatste blik op het fraaie landschap en op je geliefde vaderstadje — jammer dat het bijpassende klokkengelui ontbreekt. Ja, goed zo, schuchtere jongeling — — — —'

Ik kijk inderdaad om me heen, geïntimideerd, verward, verlegen. Ik kijk uit over het landschap, zie de stad beneden in het dal — kortom — ik kijk de andere kant op en hoor in mijn klapperende, suizende oren, achter mijn rug op de oude schanswal uit de Zevenjarige Oorlog, een reeks snel opeenvolgende smakkende geluidjes die ik enkel alleen met de naam Oliebol kan rijmen. Daar tussendoor een onderdrukt gesnik en gekir en daarbij de woorden: 'Ach, Heinrich, Heinrich!'

Nu ik weer opkijk is er verder niets gebeurd dan dat *de jaren voorbijgetrokken zijn* en dat de lange golven van de wijde zee onder het schip door rollen en het momenteel goedmoedig, zonder al te hinderlijk te laten bokken, te schokken en te woelen, voortstuwen richting Kaap de Goede Hoop.

Eerst zag het ding er nog precies zo uit als het er jaren geleden had uitgezien. Behalve dat het nu in een andere belichting voor me lag dan op die afscheidsdag, namelijk in het frisse, heldere daglicht, zo ongeveer om tien uur 's ochtends.

Nog steeds dezelfde oude wal en gracht zoals die onveranderd zijn gebleven sinds de achttiende eeuw tot in de tweede helft van de negentiende. De oude heggen in een vierkant om het huidige boerenbedrijf, met daarboven de oude boomtoppen. Alleen het pannendak van het hoofdgebouw dat je indertijd boven de takken en ertussendoor nog vanaf de gemeentegrens van Maiholzen kon zien, was nu niet meer zichtbaar. Dat deed me dan ook beseffen dat de heggen toch wel gegroeid en de boomkruinen boven de Quakatzenburcht nog dichter waren geworden. Het kon niet anders of het was 's zomers op de Rode Schans nu nog schaduwrijker, en om dat te kunnen waarderen moest je echt zoals ik de evenaar hebben overgestoken om opnieuw thuis te komen, en überhaupt inmiddels elders thuis zijn waar het gemiddeld het hele jaar behoorlijk heet is en waar dikwijls een ontstellend gebrek aan schaduw heerst.

Ik keek ernaar, met mijn handen over elkaar voor mijn onderbuik; en omdat ik alle tijd had en niemand in de wijde omtrek mij kon storen en de leeuweriken in de lucht mij niet storend voorkwamen, nam ik alles aandachtig in me op voordat ik de gracht van de graaf van de Lausitz overstak.

Toch viel me algauw nog iets anders op. Hoe het er binnen de Rode Schans ook mocht uitzien, wat de directe omgeving betreft, voor zover behorend tot zijn domein, kwam het geheel me verwaarloosder voor dan ooit.

Indertijd had je aan de damweg duidelijk kunnen zien dat die krijgszuchtige molshoop, ook al was de eigenaar ervan vogelvrij verklaard, in de vette akkergrond van dit landschap diende als omheining van een vredige boerderij, waar mensen en vee over in- en uitgingen, mest- en oogstwagens heen en weer reden en de mens, hoewel hiervandaan gekomen om Kienbaum dood te slaan, ook zorgde voor leven en welzijn.

Dat scheen nu niet langer het geval te zijn. Een voormalige Romeinse heerweg waarop voor, tijdens en na de volksverhuizing duizenden waren vermoord kon in het huidige tijdsgewricht niet dichter met struiken en gras overwoekerd zijn dan de oude wagen- en voetsporen die over de vestinggracht van prins Xaverius van Saksen langs de damweg van de boer naar de Rode Schans leidden. Er restte niets dan een smal voetpaadje door het hoge gras, met daarnaast geen wagen- of hoefsporen meer. Wilde tijm, het blauwe klokje, paardenbloem en wat hier verder in feite het meeste bestaansrecht had, hoefden zich niet langer klein te maken of zich door zolen of hoeven van alles te laten welgevallen.

Nu vraag ik me toch af, dacht ik, het is, om met Goethe te spreken, toch werkelijk alsof het gras ook achter hém weer is opgestaan. En daarbij zette ik mijn voet op de dam in het nauwe paadje dat naar Oliebol leidde, zoals het vroeger naar boer Andreas Quakatz had geleid en — bleef nog één keer staan. Er was ten derde hier aan de ingang nóg iets anders dan anders: waar waren de honden gebleven? Ja, waar waren de honden van de Rode Schans? De bewakers van de Quakatzburg? Waar was dat wachtkordon dat in stille winter- en zomernachten, vooral als de volle maan hoog aan de hemel stond, vanwege zijn goede maar luidruchtige waakzaamheid tot ver in het rond bekend en berucht was?

Wij in Kafferland hebben ze op onze boerderijen ook en kunnen niet zonder, maar nu besefte ik eens te meer: nergens ter wereld had ik zulke kwaadaardige honden ontmoet als die van de Rode Schans, en nog nooit had ik een geblaf van kwaadaardige honden (zelfs als ik er weer aan terugdacht) zo gemist als hier aan de poort van deze Duitse boerderij.

Mijn volgende schreden naar de Quakatzburg maakten me duidelijk dat de wacht wel afgelost, maar geenszins opgeheven was. Een andere ploeg nam de dienst waar, en de manier waarop ik werd ontvangen, gaf waarachtig blijk van vreedzamere toestanden dan die van voorbije tijden.

We kennen allemaal die oude mooie knusse afbeeldingen waar je bij de poort van zo'n middeleeuws stadje de soldaat van de stadswacht ziet, gezeten op zijn bankje onder het laatste edict van zijn Senatus populusque, met zijn bril op zijn neus, zijn bierpul in zijn rechterhand, het geweer zonder slot of vuursteen in zijn linker, en die daar op zijn idyllische dooie akkertje meditatief een sok zit te breien. Ik heb zelf zo'n schilderijtje, gesigneerd Spitzweg, bij mij thuis, daarginds in Afrika, boven de sofa bij het salontafeltje van mijn vrouw (het ontroert me bij tijd en wijle des te meer omdat eronder, onder die salontafel namelijk, een leeuwenvel als vloerkleedje dient), en ik trof het tafereeltje tot mijn genoegen nu ook hier weer aan, thuis bij de poort van de Rode Schans, met als enige verschil dat er door de huidige bewaker van wijlen prins Xaverius van Saksen respectievelijk van Kienbaums moordenaar, boer Quakatz, niet werd gebreid.

Er werd gesponnen.

Hij zat niet *bij* maar *op* de rode pijler van de toegangspoort — de huidige bewaker van de Rode Schans. Hij zat er waardig in de ochtendzon en keek rustig en gelaten mijn kant op — al spinnend. Zijn gespin weerhield hem er niet van zijn snor te poetsen, sterker nog: hij wreef zelfs met zijn gewapende vuist over zijn oren (wat in zijn compagnie terloops betekent dat er bezoek komt) en streek over zijn neus en nieste daarbij. Ik was al vlak bij hem toen hij een sprong maakte en mij langzaam, statig, bedaard over zijn schouder naar me omkijkend, voorging, de Quakatzburg in: die 'kapitein Tom', de 'witte man' — de huiskater van de schans van de Comte de Lusace.

Hij bleef nogmaals staan, schudde eerst zijn rechter-, toen zijn linkerpootje droog; want er hing nog steeds wat dauw aan het gras waar het nog in de schaduw van de linden lag. Hij keek me nog een keer aan en liep langzaam verder als om me de weg te wijzen; hij beschouwde mij niet per se als vijand en was ook waarachtig niet van plan de honden te halen of Tientje Quakatz met een veldkei in haar kindervuist, of vader Quakatz met het eerste het beste pak ransel of zelfs met de mestvork of de houwbijl! Er was echt niets uitnodigenders dan hij, sergeant Tom; en datgene waarvoor de nieuwe wachtcommandant van de Rode Schans uitnodigde, was evenmin iets afwerends of van dien aard dat het tot onmiddellijke omkeer en snelle aftocht noopte.

Oliebol ten voeten uit!

Oliebol zoals hij zichzelf wel zo'n duizend keer in zijn mooiste, weemoedigste jeugddromen als ideaal had gezien.

O, die pracht van een ontbijttafel voor die biezenhut, oftewel dat behaaglijke, ook op winterse sneeuw en storm bedachte Duitse boerenhuis — voor het huis, op een Duitse zomerse ochtend, tussen hoogstammige rozen, onder vlierbessen, in de lommer van de bomen, met daarboven de zon, vrouw, kat en hond (nu een rustige, wijze oude Kees), met de kippen, de ganzen, eenden, mussen en wat niet al eromheen! En dan zo'n grijze, bij het seizoen passende, tegen elk rekken en strekken opgewassen kamer-, of beter gezegd, huisjas! En zo'n open vest en zo'n deftige, lange domineespijp met de bijbehorende aangename domineestabak in blauwe krinkels in de stille lucht!

'Oliebol!'

Er was maar één woord (dit dus) dat ik kon stamelen zoals

ik daar stond en gelijk de Markies van Carabas mijn verdere introductie in de behaaglijkheid overliet aan kapitein Tom.

'Oliebol!' mompelde ik, terwijl ik daar stond en wachtte tot mij, vanuit die behaaglijkheid, nog één keer in mijn leven op de Rode Schans een blik waardig gekeurd zou worden.

Natuurlijk was het de vrouw die als eerste de storing bemerkte, haastig opkeek naar de vreemdeling en haar man aanstootte: 'Maar Heinrich! Een heer! Er is iemand!'

Ik heb het niet gehoord, maar ik ben er niet alleen vast van overtuigd maar weet heel zeker dat Heinrich niet meer dan 'Huuh?' gezegd heeft, toen hij, niet bepaald blij, zijn krant liet zakken en zijn neus eerst naar zijn wachtcommandant, vervolgens naar de ingang van de poort en als laatste naar de verstoorder van zijn ochtendrust ophief.

'Neem het de indringer niet kwalijk, brave kerel, ooit was Eduard degene die jij, weliswaar lang geleden, je vriend noemde, hoewel hij niets weg had van Goethes jonge baron, maar stamde uit het posthuis daarbeneden, Schaumann.' zei ik, terwijl ik quasi met één klap uit het hete Afrika zijn behaaglijke koelte binnendrong en op hem af liep. De vrouw legde haar breiwerk neer op de koffietafel, de man legde beide vlezige handen op beide leuningen van zijn tuinstoel, richtte zich langzaam op, in zijn gedegen breedte nu nog meer tevoorschijn komend en — sprong op. Hij maakte een sprong! Het was de sprong van een te vette kikker, maar een sprong was het!

Het woord werd hem echter opnieuw door de kleine, tengere vrouw voor de mond weggekaapt.

'Mijn god, Heinrich,' riep Valentine Schaumann, geboren Quakatz, 'het is wis en waarachtig je vriend Eduard!'

'Hou mijn pijp eens vast, Tientje,' zei Oliebol en toen strekte hij zijn armen uit, niet zozeer om me te omhelzen, maar om me bij mijn bovenarmen te pakken, en hield me zo een tijdje vast en toch op afstand, bekeek me heel nauwkeurig en — vroeg: 'Ben jij het? Ben je het werkelijk toch nog eens een keer? Geheel en al uitgesloten is het natuurlijk niet!' voegde hij eraan toe.

'Het is de werkelijkheid, ouwe Heinz, en ik ben blij jou — de Rode Schans — nee, jou en je vrouw zo gezond hier te zien! Je bent —'

'Geen steek veranderd. Val me alsjeblieft niet, althans niet op elke warme dag van het jaar, op mijn dak met die vileine dooddoener. De hoon "Man, wat ben je dik geworden" komt er immers meteen achteraan. In dat opzicht kunnen jullie allemaal —'

'Schaumann, ik ben ontzettend blij jou zo, zo en niet anders, terug te zien!'

'Nou ja, in de schaduw heeft het nog zijn voordeel, daar smelt je niet onmiddellijk als een spook weg in de armen van je beste jeugdvriend. Hij is het echt, Tientje! Hij is waarachtig zo aardig geweest zich ook nog aan ons te herinneren.'

'Oliebol?!'

'Dat woord smaakt dan tenminste nog een beetje naar andere, vroegere dagen; maar het feit blijft niettemin bestaan: waarom, geachte vriend, kom je nu pas naar ons toe? Zoveel krant lezen wij hier op de Quakatzburg ook nog wel, dat we uit het gastenbulletin weten hoe lang je daarbeneden al rondspookt en natuurlijk al een hoop anderen het plezier hebt gedaan om je terug te zien. Afijn, blij dat je toch nog zo aardig hebt willen zijn.'

Zoals iedereen die terecht wegens zijn tekortschieten op de vingers wordt getikt, zocht ik een excuus en bedacht bij deze gelegenheid het volgende: 'Het beste bewaart elke verstandige aardbewoner voor het laatst. Dat was, kan ik me haarscherp herinneren, ook jouw principe in de dagen van onze kindertijd en jeugd, beste Heinrich.'

'Daar ben ik helemaal van teruggekomen,' antwoordde Oliebol. 'Al sinds een paar jaar neem ik het beste het eerst,

Eduard, en vertrouw er niet meer blindelings op dat we nog tijd genoeg hebben en onze gesmeerde boterham stevig in onze beide knuisten. Maar we kunnen de complimenten achterwege laten. Voor dit keer althans is het geluk je nog welgezind geweest; en in mij heb je toch een vette hap opgespaard, nietwaar?'

'Nou eh, beste Schaumann —'

'En jij — wat sta je daar dom te kijken, Minnie? Quakattepoes? Nu die man zich als mens, medebroeder en vriend tenminste min of meer algemeen menselijk gelegitimeerd heeft, kun je hem op zijn minst een stoel en een kop koffie aanbieden, als die nog warm is. Ga op zijn minst even zitten, Eduard, als je tijd hebt; en nou, bekijk haar maar eens goed — dat is ze nu! Tientje; Tientje Quakatz. En, wat vind je ervan, Eduard? Over mij heb je je mening, zonder het zelf te weten, door je blik, je openvallende mond, je handen- en voetenmimiek al laten blijken. Maar zeg me nu eens in alle eerlijkheid hoe je haar vindt nu ze wat meer vlees op de graat heeft?'

De handbeweging, de blik en wat er verder nog te pas kwam bij deze introductie van Valentine Schaumann — dat laat zich met geen woord beschrijven. Ook de intonatie van het woord Quakattepoes niet.

En dan Quakattepoes zelf?!

Een geboren Quakatz, de dochter van Kienbaums moordenaar Andreas Quakatz, die bij haar wettige echtgenoot was uitgegroeid tot een 'Minnie' en zelfs, zoals ik kort daarop merkte, tot een 'Minoesj', met een allertederste, langgerekte oeoe, en die voor mij nu plaats maakte in de zomerse morgen en aan de ontbijttafel op de Rode Schans, die moet hoe dan ook beschreven worden!

Ik had haar als kind alleen maar mager gekend, 'scharminkelig' noemde Oliebol het; maar ze had het anders aangepakt dan Oliebol: ze had haar lichamelijke aanleg in de loop der jaren niet maximaal verder ontwikkeld. Ze was ook niet in die mate tanig geworden als hij dik. Ze was niet verpieterd onder zijn regiment in de schaduw, de niet-geringe schaduw die hij wierp.

Ze was een goedgebouwd, gezellig persoontje geworden, met een beetje grijs in het haar, wat zo tegen de veertig jaar geen schande is. Ik was er natuurlijk in de eerste plaats benieuwd naar of ze nog steeds in staat zou zijn over het dampad de honden op te hitsen tegen 'ons jongens' en de rest van de wereld; met die ogen bekeek ik haar, en het deed me plezier. Ze was de wilde, soms half waanzinnige blik, gevolg van de troosteloze vogelvrijverklaring uit de 'bloeitijd' van haar jeugd, volledig kwijt. En toen ze glimlachend ook tot mij de eerste woorden had gericht, wist ik na die eerste woorden dat ze allang niet meer dat schichtige, met boze woorden, stenen en aardkluiten bekogelde boerenmeisje van de Quakatzhof was. Het was absoluut onnodig dat het mijn vriend Schaumann noodzakelijk leek nog meer aandacht van me te vragen, en wel met de smakeloze woorden: 'Jaja, Eduard, lezen is besmettelijk, en ik ben altijd een zeer belezen iemand geweest, al werd dat door jullie daarbeneden niet altijd voor de volle honderd procent onderschreven. En dan bestudeert een mens soms niet zonder gewin voor zijn naasten of naaste — het kookboek.'

'Wie niet zou weten dat we elkaar al sinds lang van heel dichtbij kennen, zou dat hieruit toch onmiddellijk moeten opmaken,' zei vriendelijk en elegant Valentine Schauman, en noch in de salon van Madame de Récamier, noch in die van Madame de Staël, noch in die van mevrouw Varnhagen von Ense, in haar tijd bekend als Rahel, had iets fijnzinnigers en beters, met een betere en fijnzinnigere glimlach kunnen worden gezegd.

Daarmee drong het opeens volledig tot me door dat ik op deze plek in het vaderland voor het eerst een betoverd stukje grond had betreden, waar de teleurstellingen van de terugkeer misschien toch nog plaats zouden maken voor het echte, waarachtige, onversneden Heimatgevoel. Na een gesprekje van zo'n tien minuten, uitsluitend bestemd voor onze hernieuwde toenadering en verder van geen enkel belang, wilde de vrouw ons alleen laten en naar binnen gaan, haar echtgenoot begrijpend toeknikkend, nadat Oliebol had gezegd: 'Hé, Minnie, natuurlijk rust de vreemdeling vandaag in het beloofde land. Vanavond als het koeler wordt, kunnen we hem een stukje begeleiden op zijn weg naar de stad en Afrika.'

Ik was dan wel niet gekomen met bedoeling zo lang te blijven; maar ik heb toch die dag van harte graag doorgebracht op de Rode Schans, nadat ik van mijn kant had geroepen: 'O, mevrouw Valentine, waar gaat u heen? Blijft u toch zitten. Je moet uit Zuid-Afrika via de tropen thuis zijn gekomen om aan den lijve te ervaren hoe heerlijk het is op een ochtend als deze te kunnen zitten voor een huis als dit!'

'Ja, hè?' zei Oliebol. 'Nou hoor je het zelf, Tientje Quakatz! Overigens, ga maar gerust; onze vreemdeling vertelt ons straks wel gedetailleerd over zijn huiselijke beslommeringen daar in de verre verte. Dat soort dingen bespreek je nu eenmaal het best en gezelligst aan tafel. Laat hem je nu niet tegenhouden; doe gerust wat je van plan was, Minoesje. Deze dolende Afrikaner zal zijn ware Desdemona ook wel ergens anders hebben gevonden en jij krijgt toch alleen maar de mooie restjes van zijn vertelsels en zielenroerselen. Ga maar gerust naar je keuken — dat is toch waar het om gaat. Ook voor hem!'

En de echtgenoot wierp zijn echtgenote een gnuivende blik van innige verstandhouding toe en trok zijn vlakke hand voor zijn strot langs, een exacte uitvoering van het gebaar dat er een keel moest worden doorgesneden.

'Heinz heeft volkomen gelijk, meneer Eduard. De heren moeten me echt een tijdje excuseren. Stil maar, Schaumann, ik snap het wel!'

Ze ontsnapte, en een vrouw die van een oude moordenaar, van Kienbaums moordenaar afstamde, had mij daarbij niet vriendelijker, goedmoediger en hartelijker kunnen toeknikken om me te laten zien hoe plezierig ze het vond dat ik tijdens het middageten bij haar aan tafel zat. Maar er lag ook een wereld van vertrouwen in de rookwolk die haar echtgenoot haar uit zijn pijp achterna blies met de woorden: 'Doe je best, vrouw! In Afrika zijn ze verwend. Een in de as gebraden olifantspoot schijnt een hele lekkernij te zijn. Tientje, dat zou onze reputatie nog eens goed doen als deze vreemde meneer in zijn warme thuisland over ons niet anders kon vertellen — dan goeds!'

'Dat is nog eens een echt lieve vrouw!' zei ik.

'Ja, hè?' zei Oliebol en voegde eraan toe: 'En nog prima geconserveerd, toch?'

En vervolgens zaten we een tijdje in behaaglijke mijmering verzonken en realiseerden ons pas langzaam dat er om ons heen het een en ander aan de hand was. Rondom de ontbijttafel van de Rode Schans was enige onrust ontstaan onder het pluimvee, koppen werden op- en snavels bij elkaar gestoken — alles ten gevolge van een hevig gekakel en gekrijs op het erf achter het huis. Er was ook alle reden toe, want van die kant was één enkele kip met opgetrokken vleugels en een paar veren in zijn staart minder komen aanrennen en had de jobstijding gebracht.

'Wat is er met dat spul aan de hand? Wie heeft er voor deze keer Kienbaum doodgeslagen?' vroeg Oliebol, zijn duiven nakijkend, die plotseling van hun til opvlogen en in angstige kringen boven onze hoofden en boven de groene linden van de Rode Schans cirkelden, en zwaar verontrust als zilveren puntjes in de blauwe lucht af en aan zwenkten.

'Die zijn compleet hoteldebotel!' zei hij; en natuurlijk deed ik alsof ik niet het flauwste vermoeden had van het feit dat ik zelf die schrik en turbulentie in de natuur had veroorzaakt en dat vanwege mij Valentine Oliebol in de keuken van de Rode Schans had geroepen: ‘Stien, we hebben een gast vandaag, en als ik me niet sterk vergis eentje die ver van huis behoorlijk verwend is geraakt. Wat moeten we doen? Mijn man heeft hem te eten gevraagd en voor iemand die van zo ver komt hebben we eigenlijk niks fatsoenlijks in huis.’ ‘Tja, zoiets overvalt je altijd op het verkeerde ogenblik,’ had daarop vermoedelijk Oliebols op een na beste keukengenie geroepen en — er vast en zeker aan toegevoegd: ‘Nou ja, al te armoedig ziet het er voor die vreemde meneer en voor onszelf hier op de Rode Schans nou ook weer niet uit. Godzijdank hebben we nog de kippen en de duiventil bij de hand.’

Ik wist ook nog wat bij zo’n gelegenheid het troostrijke antwoord van mijn moeder zaliger placht te zijn: ‘Laten we in elk geval voor een goede bouillon zorgen, Stien. Daar zeggen ook de meest verwende gasten geen nee tegen.’

Tientje Schaumann echter heeft er op die dag vanuit haar eigen provisiekamer en (wat nog beter is) vanuit de goedheid van haar ziel met ‘een pak van haar hart’ aan toegevoegd: ‘En dan hebben we immers godzijdank ook nog die ham in bourgognewijn liggen. Vooruit, Stien, gauw naar het kippenhok en de duiventil. Die vreemde meneer blijft tot vanavond en ’t is een oude vriend van mijn man, en ook ik ben heel erg blij dat hij ons na zoveel jaar en van zo ver weg hier op de schans komt opzoeken!’

Misschien dat er hier op het schip een paar lieden graag zouden weten waar die meneer uit de Boerenrepubliek zich zo vlijtig literair mee bezighoudt, wat hij schrijft, waarover hij zit te brommen, respectievelijk te zuchten of te lachen. Maar er is binnen het hele reisgezelschap niemand die ik echt helemaal inzichtelijk zou kunnen maken waarom een weldenkend mens op zo’n reis zich zo intensief kan bezighouden met een reeds lang en breed gegeten en verteerde ham, zelfs al is het er een in bourgognewijn. We hebben Duitsers, Nederlanders, Engelsen, Noren, Denen en Zweden, de hele Germaanse familiekliek zeg maar, aan boord van de Leonhard Hagebucher; maar die zouden me allemaal eerder voor getikt aanzien dan voor een Teutoon met een bescheiden talent tot bevordering van het Schone, als ik hun vanavond in de rooksalon een paar bladzijden zou voorlezen uit mijn huidige logboek en reismanuscript, uit het misdaadverhaal 'Oliebol'. Ik laat dat maar liever achterwege, maar ik blijf ook achter mijn manuscript zitten zolang het weer en de zeegang dat toestaan. Ik ben nu eenmaal vaak genoeg in mijn leven aan boord van een schip geweest om te weten wat op zo'n lange reis het aangenaamst is. Het is een grote vergissing te denken dat er op de wijde wateren elk moment iets bijzonders gebeurt en dat een Germaanse reisfamilie altijd iets buitengewoon humoristisch, gezelligs, beschaafds en — *interessants* zou zijn...

Enfin, de verse ham in bourgognewijn en de goede kippensoep verschenen 's middags op tafel; maar zover zijn we eigenlijk nog niet. We zitten nog achter Oliebols *tweede* ontbijt onder de oude linden voor de Quakatzburg op de Rode Schans, vriend Heinrich en ik, en de eettafel daar binnenshuis wordt nu net pas naar het midden van de kamer geschoven om door mevrouw Tientje en haar tweede dienstmeisje voor het hoofdprogramma, de hoofdbevrediging van de dagelijkse voedselbehoefte 'gedekt' te worden.

'Eindelijk eens iemand die een voorgenomen doel bereikt heeft zonder dat het hem na aankomst teleurgesteld heeft!' zei en zuchtte ik, terwijl ik opnieuw een greep deed in de gepresenteerde sigarendoos.

'Een tikkeltje te veel overgewicht,' bromde Oliebol. 'Op warme dagen ietwat bezwaarlijk, beste Eduard. Vooral tijdens de toch steeds weer noodzakelijke boodschappen.'

'Ja, moet je dan nog zo nodig boodschappen doen, beste Heinrich? Heb je warempel nog niet afgedaan met alles wat voor mensen als ik zo buiten op straat ligt en moet worden geregeld? Ligt dat niet allemaal buiten voor je prachtige wallen van prins Xaver van Saksen?'

'Waarmee je wilt aanduiden: ben je alleen nog maar op aarde om op de Rode Schans na de levenswalging van vader Quakatz het levensgenot in je vette persoon te belichamen en uit te dragen? Wees zo goed en reik me even je arm, Eduard. Het duurt nog wel even voor we aan tafel worden geroepen; dus ik kan je als je er prijs op stelt, van tevoren nog vesting, huis en erf wat nauwkeuriger laten zien (*my house and my castle*) en hoe dat alles onder mijn en Tientjes hoede geworden is. Oef — langzaam! Vooral niet overhaasten. Waarom zouden we er niet de tijd voor nemen? Wat zou ik, lamme goedzak, voor een wereldreiziger als jij voor bijzonders in petto hebben dat tot zo'n stormachtige activiteit zou moeten leiden? Dus, doe het op je gemak, vriend! Laten we in alle rust eerst nog eens de wal af lopen ter zalige nagedachtenis van de onzalige graaf van de Lausitz.'

'Zalige nagedachtenis? Dat zei de stad annex omgeving in het jaar onzes Heren 1761 nou niet bepaald.'

'Maar ik zeg het nu. Wat heb ik met die annexe omgeving te maken? Afgezien natuurlijk het mooie uitzicht erop vanuit de Quakatzburg.'

Ik was nu zo nieuwsgierig naar alles wat hij me zou laten zien dat ik inderdaad mijn aan de goudvelden van Kaffraria gewende pas wat matigde en aanpaste aan de zijne van de Rode Schans. En voor de eerste keer van mijn leven liep ik zelf over de wal het schansvierkant van prins Xaver af; als jongetje en als jongeman had ik het immers alleen vanachter de vestinggracht, vanuit het veld, vanuit de 'glacis' af en toe kunnen bekijken. En de jaren telden! Het ging weliswaar vandaag niet al te snel, want mijn jeugdvriend had mij om de waarheid te zeggen niet bij wijze van sierlijk en teder gebaar bij de arm gepakt. Zijn pijp nam hij natuurlijk ook mee, ervoor zorgend dat hij bleef branden en wijzend met de steel naar links en naar rechts, waarheen hij maar dacht mijn door allerlei wereldomspannende zeereizen verstrooide aandacht op te moeten vestigen.

We wandelden of waggelden via zijn tuinpad langs zijn aal- en kruisbesstruiken, zijn gebroken hartjes, zijn rozen en lelies, zijn ridderspoor en akelei en beklommen de borstwering van zijn vesting. Als geschiedkundige en filosoof van de Rode Schans werd hij van minuut tot minuut groter — belangrijker. En daarbij had hij zich in zijn goedgevoede eenzaamheid en in de armen van zijn kleine charmante vrouwtje tot een ongeëvenaarde alleenspreker ontwikkeld. Hij vroeg iets en gaf gewoonlijk zelf het antwoord, waardoor hij het de gevraagde steeds buitengewoon gemakkelijk maakte.

'Van waaruit wordt nu eigenlijk het lot van ieder mens persoonlijk bepaald, Eduard?' vroeg hij eerst, en voor ik kon antwoorden (wat had ik kunnen antwoorden?), zei hij: 'Normaliter, zo niet altijd, vanuit één bepaald punt. Uit mijn kinderwagen (je weet, Eduard, dat ik sinds mijn vroegste jeugd ietwat zwak op de benen was) herinner ik me nog heel goed die zondagnamiddagse wandelrit toen mijn kwade geest me hier voor het eerst toe veroordeelde en mijn vader zei: "Achter de Rode Schans, vrouw, komen we goddank gauw in de schaduw. Overigens zou onze bengel binnenkort zo'n stukje al prima kunnen lopen, vind je niet?" — "Hij heeft zulke zwakke voeten," zuchtte mijn moeder zaliger, en die uitspraak vergeet ik nooit. Ja, Eduard, ik ben altijd wat zwak geweest, niet alleen van begrip, maar ook wat mijn voeten betreft, en dat ene punt bedoel ik nou! Ik heb me waarachtig niet verder in de wereld kunnen verplaatsen dan naar de schaduw van de Rode Schans. Ik kan het echt niet helpen. Hier lag mijn zwakke of, zo je wilt, mijn sterke punt. Hier greep het lot me bij de kladden. Ik heb me verzet, maar er was geen ontkomen aan en ik heb me er zuchtend in geschikt. Jou, beste Eduard, hebben Störzer en monsieur Levaillant naar het hete Afrika gebracht en mij hebben mijn zwakke geestelijke vermogens en mijn nog zwakkere voeten vastgehouden in de koele schaduw van de Quakatzburg. Eduard, het noodlot gebruikt meestal toch onze zwakke punten om ons te tonen wat goed voor ons is.'

Dit wezen was warempel zo brutaal-ondankbaar om hier uit het diepst van zijn pens nog een zucht op te diepen. Natuurlijk alleen om zijn welbehagen in een nog benijdenswaardiger daglicht te stellen. Ik ging er echter niet op in. Het plezier hem door een opmerking van mijn kant nog dieper en nog tevredener te laten zuchten deed ik hem niet.

Rustig, Eduard! hield ik mezelf voor. Eerst maar eens luisteren op welk gebied hij verder nog meer weet dan jij.

Ik liet hem dus aan het woord en keek daarbij stilletjes vanuit een schaduwrijke hoek van het nu zo vreedzame oorlogsbolwerk naar het zonnige, weidse landschap met mijn Heimatstad, zijn dorpen, bossen, naburige heuvels en verre gebergtes.

'Ja, daar heb je het hele gevechtsterrein van Schaumann contra Quakatz voor je liggen,' sprak Oliebol. 'Neem dat landschap maar even goed in je op, voor je 'm weer smeert naar je fijne Afrika. Het is en blijft toch een aardige omgeving, of niet soms?'

'Zeker, zeker! Je hoeft ook helemaal niet uit Libië te komen of weer daarheen te moeten vertrekken om dat nadrukkelijk te kunnen stellen.'

'En dan te bedenken wat zich daar allemaal heeft afgespeeld, Eduard,' zei Oliebol, mij zacht met zijn elleboog aanstotend. 'Ik wil niet te diep in de geschiedenis duiken, maar neem nou bijvoorbeeld die verrukkelijke Zevenjarige Oorlog!'

'Beste vriend —'

'Voor die goddelijke Zevenjarige Oorlog en die fenomenale oude vechtjas, de Oude Fritz, heb ik altijd, zij het in stilte, de diepste genegenheid gekoesterd.'

'Beste Heinrich —'

'Zeker wel, misschien steekt er iets van die hartelijke genegenheid uit onschuldige kinder- en nergens voor deugende vlegeljaren vandaag ook bij jou nog de kop op. Eduard, als ik vandaag niet Oliebol zou zijn, zou ik alleen Friedrich de Andere in Pruisen willen zijn — en in de hele wereldgeschiedenis alleen nog maar Friedrich II. Ik weet niet wat voor bibliotheek je er in Kafferland op na houdt, maar noem me maar eens één iemand uit de wereldgeschiedenis die op ons soort mensen sympathieker overkomt dan hij! Zo mager, ietwat zwak op de benen met zijn door de rijnwijn van zijn vader overerfde jicht, maar altijd zijn laarzen aan! Altijd onweerstaanbaar zichzelf in het geschreeuw, gehuil en gebrul van de furiën en de kanonnen. Met zijn kruk, zijn neus vol snuiftabak, zijn met zegellak door hem zelf hoogstpersoonlijk gerepareerde degenschede — scherpgeslepen, brutaal en puntig, wat ze tegenwoordig schaamteloos noemen, tegen de allerhoogste dames, een Maria Theresia, een Elisabeth, een Madame Jeanne-Antoinette, wat ik weliswaar vanwege mijn eigen allerhoogste dame, vanwege mijn Tientje, niet helemaal kan goedkeuren. Maar zijn eetlust daarentegen! Niets op aan te merken! Goed in zijn kinderjaren, goed in zijn jeugd, maar boven alle lof verheven naarmate hij ouder werd. Als ik ergens recht van spreken heb, dan hier, bij dit onderwerp. Die man vrat alles! Verdriet, provincies, eigen pech en dat van anderen, en vooral zijn elke dag eigenhandig geschreven menukaart. Eduard, die man zou ook baas van de Rode Schans geworden zijn, als ie mij geweest was. Eduard, als er één iemand toe heeft bijgedragen mij tot eigenaar en bezitter te maken van de Rode Schans, en zodoende ook van Tientje Quakatz, dan is dat strijk en zet de Oude Fritz van Pruisen, natuurlijk steeds in combinatie met zijn schattige, voor mij zo oneindig waardevolle tegenstander, prins Xaverius van Saksen, Zijne keurvorstelijke Hoogheid.'

Het fenomeen Heinrich Schaumann, bijgenaamd Oliebol, gaf zo'n hoeveelheid contradicties ten beste dat ik helemaal niet meer in staat was te verzuchten: Nou, nu ben ik toch werkelijk benieuwd waar dit allemaal toe moet leiden.

'Laten we toch maar even gaan zitten,' zei Heinrich. 'Het is je aan te zien dat je me een tikje warrig vindt. Misschien wordt dat nog erger, maar ik kan er niets aan doen. Deze bank hier heb ik overigens alleen maar laten neerzetten om niet af en toe zelf de historische grond onder mijn voeten te verliezen. Maar als ik je verveel, hou ik onmiddellijk op, interessantste van alle Afrikanen en beste van al mijn oude vrienden.'

'Alsjeblieft, Olie — beste vriend!'

'Geneer je maar niet, Eduard, zeg rustig Oliebol. Ik hoor die oude lieflijke benaming nog steeds graag; en over die oude vrienden die hem mij in betere tijden opplakten, moet ik je toch eerst het een en ander vertellen om mijn schoonvader zaliger ter nagedachtenis van Kienbaum langzaam in het vizier te krijgen. Welnu, dit was het begin van de historie van Heinrich en Valentine, van Kienbaum, van meester Quakatz en van de Rode Schans. Je zit toch wel lekker, Eduard?'

'Ik heb in mijn leven zelden lekkerder gezeten. Maar val jezelf toch niet voortdurend in de rede, oude, wonderlijke vriend! Het komt me nu echt voor alsof ik enkel en alleen in mijn oude Heimat op bezoek ben gekomen om naar jou te luisteren!'

'Zeer complimenteus! Dus ook daarom eerst iets over mijn oude vrienden, over jullie, nare, pesterige, hondsbrutale lummels die zolang ik me kan herinneren je best hebben gedaan de dagen van mijn kindertijd en jeugd te verpesten!'

'Oliebol, asjeblieft —'

'Inderdaad, Oliebol! Wat kon ik eraan doen dat mijn benen

zwak en mijn maag en spijsvertering sterk waren? Alsof ik die kracht en die macht van mijn peristaltische bewegingen en de broosheid van mijn extremiteiten en überhaupt mijn algehele aanleg tot sulligheid zelf zou hebben geschapen! Als ik had mogen kiezen had ik me toch tienduizend keer liever gepresenteerd als kwal in het bittere zilte nat dan als Schaumanns jongen, de dikke, domme Heinrich Schaumann! Keurig netjes zijn jullie met me omgegaan en allermenselijkst hebben jullie je schandalige rechten botgevierd. Ontken het niet, Eduard!'

'Laat je geen enkele uitzondering gelden, Heinrich?'

'Absoluut niet! Of zou ik jou daarvan moeten vrijpleiten? Jou, mijn bovenstebeste vriend? Verbeeld je dat maar niet! Vraag straks aan tafel Tientje maar eens wat ze ervan denkt. Die heeft jou indertijd ook met de anderen voor de burgwal van haar vader gehad. Als je niet met de wolven hebt gehuild, heb je met de ezels gebalkt en in elk geval ben je met de anderen meegelopen en heb je Oliebol met zijn onbegrepen ziel als met een op de goeie kant gevallen boterham laten zitten op de stoeptree voor de huisdeur, in het domorenbankje op school en aan het uiteinde van de akker voor de Rode Schans. Natuurlijk heb je wel eens naar me omgekeken, als je niet net iets beters, zeg ik niet, maar wel leukers te doen had.'

'Heinrich, dat kun je toch echt niet beweren!'

'Eduard? Zat ik anders zo hier? En dan — trouwens, heb ik je soms iets verweten? Heb ik jullie, jou, niet je gang laten gaan en heb ik niet mijn boterham uit het slijk opgeraapt en opgegeten? Met een kwart weemoed en drie kwart puur genot in mijn eenzaamheid? Heb ik jullie, heb ik jou niet rustig laten lopen? Heb ik me ooit door gepiep achter jullie zwierigere ziel en zoveel beweeglijker lijf aan nog belachelijker gemaakt dan ik al was?'

'Wis en waarachtig niet! En om de waarheid te spreken, ik — we hebben je gewoon laten zitten waar je zelf was neergeploft.'

'Zien jullie wel! Zie je wel! En ik hoop in de loop van de dag toch nog te bewijzen dat de eenzame stoeptrede, het voorste bankje in elke klas, de tranenrijke weidezoom de mens toch nog tot een zeker globaal inzicht kan brengen en tot een zinvolle invulling van het aards bestaan. "Haastige spoed" is nu eenmaal niet altijd het beste hulpmiddel om vooruit te komen.'

'Zeg dat wel!' verzuchtte ik van ganser harte, gelouterd door het leven en uit het onderste puntje van Afrika vandaan.

'Een indiaan aan de martelpaal zou het onder het krijgsgehuil en hoongebrul van zijn vijanden niet mooier hebben dan Oliebol in jullie opgewekte kring. Leuke vreugdedansjes hebben jullie opgevoerd in je overwinningsroes rondom zo'n arme, slome, vette zwetende sukkel als ik. En slim dat jullie allemaal waren! Reken maar dat ik in jullie gezelschap mijn brood met tranen heb gegeten. Wat bleef me anders over dan me vast te klampen aan mijn eetlust en me tot mezelf te beperken en jullie met mijn allerhartelijkste wensen de rug toe te keren.'

'Heinrich —'

'Nee, nee, laat maar! We hebben het nu allebei achter de rug, en Tientje is in d'r keuken bezig voor jouw en mijn welzijn te zorgen, zoals het hoort. De lieve schat! Laten we proberen daar eens wat nader op in te gaan, en dus — vivat prins Xaver van Saksen, en nog eens voor de tweede en voor de derde keer: leve de Comte de Lusace, prins Xaverius van Saksen!'

'Lang zal ie leven! Maar wat die met jouw, met mijn, onze geschiedenis en die van je vrouw te maken heeft, dat is voor mij momenteel nog een raadsel, Schaumann! Je hebt zojuist met het volste recht een hartig woordje met me gesproken; maar jouw graaf van de Lausitz, jouw mij volledig onbekende prins Xaver van Saksen, hoef ik me toch niet zo zonder meer te laten welgevallen, Heinrich! Dus voor je vrouw ons aan tafel roept: wat heeft die rare prins Xaver van Saksen met haar, met jou, met mij nog te maken op deze prachtige, windstille, hemelsblauwe, bladergroene, zonnige zondagochtend?'

Het schip stampt vandaag wat meer dan gisteren.

'En al heb je misschien de halve nieuwe wereldgeschiedenis gevolgd en in Afrika zelf meegemaakt, Eduard, dat moet jij toch ook nog weten: dat in de gevel van mijn vaders huis een kanonskogel zat en nog steeds zit, die hij (die Xavertje) ooit tijdens die Zevenjarige Oorlog bij ons de stad in geschoten had! Nee, hou even je mond en val me niet in de rede; we komen meer en meer in de buurt van Tientje aan haar keukenfornuis. Mijn vader was er namelijk reuze trots op, niet op Tientje, maar op die kanonskogel. Het was een echte bezienswaardigheid, die mij zolang ik mij kan heugen aan het denken heeft gezet. "Die is van de Rode Schans afkomstig, jongen," zei mijn vader, en vertel jij me nu maar eens, Eduard, heb jij daarginds in Pretoria, of hoe het daar bij jullie ook mag heten, iets beters dan een kanonskogel in het balkwerk of de huismuur om je jong of jongetjes ergens over aan het denken te zetten. Zo'n woord, dat slaat in en zet zich vast in je hersens en in de fantasie, zoals de kogel zelf in de muur. "Die komt nog uit de oorlog van de Oude Fritz vandaan, Heinrich," zei mijn vader. 'Let goed op op school, want daar kunnen ze je het hoe en waarom vertellen!" — Nou, ik heb op school voor van alles een pets op mijn vingers gekregen, behalve dan vanwege de Zevenjarige Oorlog; en dat is te danken aan die kanonskogel die prins Xaver van Saksen in onze huismuur schoot en die afkomstig was van de Rode Schans, en daaraan heb ik dan ook mettertijd Tientje Quakatz en de Rode Schans te danken. Straks aan tafel zul je, hoop ik, eerlijk en oprecht moeten toegeven dat je het bij ons maar wat gezellig vindt.'

'Heb ik dat dan niet al vaak genoeg gezegd?'

'Nee. Tenminste nog lang niet zo vaak als zou moeten. Want wat heb je tot nu toe nou eigenlijk over ons bijgeleerd? Maar, mensenkinderen, moet je me nou aldoor in de rede vallen? Mensenkinderen, begrijp je dan niet hoe hoog het verzwegen spraakwater in een gemankeerde theologiekandidaat is opgestuwd? Sst, zit stil en kijk naar de mooie omgeving en je nobele geboortegrond en laat mij eindelijk mijn hart eens luchten bij iemand die niet langer thuishoort in dat oude nest daarbeneden, maar die morgen alweer onderweg is naar het uiterste einde van het alleronderste Zuid-Afrika en dus niet de geschiedenis van Oliebol en de Rode Schans pal naast de deur in zijn naburige echtelijke bed en in zijn stamkroeg weer doorklept.'

'Ik zeg helemaal niets meer, tot je me 't zelf vraagt, of je lieve vrouw dat zou willen.'

'Braaf, beste jongen! Daar maak je me zielsgelukkig mee. Dus om terug te komen op die kanonskogel in het huis van rentmeester Schauman: het was natuurlijk niet alleen die kogel. Er was in dat huis ook nog een dikke pil bewaard gebleven. Mijn moeder had die jarenlang gebruikt om een wankele kast van een vierde poot te voorzien. Die hielp me verder. Niet die kast maar die dikke pil! Het was een boek uit eigen streek waarin de geschiedenis en de belegering van onze zoete kinderwieg door de prins Xaver van Saksen werd uitgebeeld, misschien niet naar waarheid, maar voor een kinderlijk gemoed des te duidelijker. Dit klassieke boek trok ik onder de kast vandaan, dat las ik liever dan Cornelius Nepos en via dat geschrift, Eduard, kwam ik (stil maar, we komen zo steeds dichter bij Tientje in de buurt!) terecht bij de oude levende pil Schwartner. Je herinnert je natuurlijk de oude Schwartner nog wel, de registrator Schwartner?' Vanzelfsprekend herinnerde ik me hem, maar ik schudde natuurlijk even vanzelfsprekend van nee.

'Goedzo, en verder geen interrupties, graag!' bromde de baas van de Rode Schans, die zijn hart nog lang niet voldoende had gelucht, al had ik hem daarbij ook geen strobreed in de weg gelegd. 'Die oude Schwartner in zijn oude zwarte huis onder de donkere kastanjes tegenover de kerk. Het ging er spookachtig aan toe, weet je nog, Eduard? In dat huis natuurlijk, maar — in die ouwe baas niet minder. In die ouwe baas hebben de artsen na zijn dood, of beter gezegd, na zijn complete uitdroging geen druppeltje vloeistof meer gevonden, hoewel er voorheen meer geestrijks uit hem opborrelde dan bij wie dan ook in de stad. En bij de sloop van zijn huis, nadat ze eerst de kastanjebomen hadden omgehakt, hebben de arbeiders meer dan eens 's middags op klaarlichte dag hun bijlen, schoppen en houwelen weggesmeten en zijn ter zelfbescherming de grote kerk aan de overkant in gevlucht, omdat ze stijf stonden van de *pan*iek. Jullie taalgeleerden schuiven dat waarschijnlijk op de bokspotige *Pan*, maar die lanterfanterlijke gemeentewerkers schoven het op de bokspotige Schwartner. Welnu, met voornoemde ouwe baas heb ik toen stiekem achter jullie rug om, de ruggen van mijn o zo gewaardeerde, slimme schoolkameraden, vriendschap gesloten, waar ik grotelijks profijt van had op allerlei gebied waar jullie veldhazen geen flauw benul van konden hebben. Blijf rustig zitten, Eduard, ik zal niet al te zeer afdwalen; we blijven gewoon bij de Rode Schans en naderen mijn Tientje met rasse schreden. Overigens zal ze ons, dat hoop ik tenminste, nu ook snel aan tafel roepen.'

Hier had ik echt wel iets kunnen zeggen, maar ik hield me in en deed het niet.

Oliebol vervolgde, driftig de brand in zijn pijp aanwakkerend: 'Dus die kogel in het huis van mijn vader had mijn eerste kinderlijke fantasie opgewekt; en de oude Schwartner wekte vervolgens mijn eerste historisch besef. En dat historisch besef is volgens de geleerden zonder meer het hoogste wat de mens bezielt. Ik deel die mening niet. Ja, als je je uitsluitend leuke dingen zou herinneren!... Maar hoe dan ook, de oude Schwartner beschikte over historisch besef en stak daarmee, voor zover dat mogelijk was, ook mij aan. Dat ik me daarmee, dus met dat historisch besef, uitsluitend tot de Rode Schans wist te beperken, betekent volgens mij dat er uiteindelijk in mij toch nog iets meer schuilde dan alleen dat historisch besef. Hoe ik eigenlijk voor het eerst zijn huis ben binnengekomen, weet ik niet meer precies. Hij heeft me er waarschijnlijk ooit aangetroffen terwijl ik naar die kogel in onze huismuur of naar de Rode Schans zat te koekeloeren; hij moet in mij een verwante ziel hebben geroken en me een keer mee naar huis hebben genomen. In elk geval konden we het al heel gauw prima samen vinden. Als iemand me nodig had en niet aantrof in het ouderlijk huis, hoefde hij alleen maar even bij de oude registrator Schwartner langs te gaan om me te vinden. "Schoolkennis, Heinrich," zei de oude Schwartner, "en met name geschiedenis, zorg dat je die opdoet. Iemand kan nóg zo slim zijn, hij blijft een ezel als hij niets van geschiedenis weet. Met die wetenschap is hij iedereen de baas en steekt hij een hele stad, van hoog tot laag, compleet in zijn zak. Kijk maar naar mij, een subaltern ambtenaartje, maar wel eentje die ze precies kan vertellen hoe ze er nu eigenlijk voorstaan."

Veel algemene geschiedkundige kennis heeft de vriendschap met die ouwe baas me weliswaar niet opgeleverd; maar de geschiedenis van de Zevenjarige Oorlog en van de Rode Schans, ken ik via hem, terwijl ik het voor de rest maar liet voor wat het was. Jaja, Eduard, een oudoom of overoudoom, niet van mij maar van de ouwe Schwartner, heeft als toenmalig stadssyndicus nog met prins Xaverius persoonlijk gesproken. De prins had hem zijn tabaksdoos aangeboden, helaas zonder hem zijn contributie kwijt te schelden en de brandschatting na overgave van de stad. Hij, de geachte registrator, bewaarde in zijn spookachtige woning ook nog een hoop andere dingen als herinnering aan die woelige periode: een piek of sponton in de hoek achter zijn schrijfbureau, plattegronden en kopergravures uit die tijd, stoelen waar zijn overgrootmoeder en zijn grootmoeder nog met de Pruisische stadscommandant op hadden gezeten, een tafel waarvan de inkwartiering een stuk had afgeslagen en, vooral: rekeningen, kasboeken, afrekeningen! Poeh, die hebben moeten bloeden, dat verzeker ik je, Eduard! God beware je achterkleinkinderen in Afrika voor dat soort dierbare gedachtenissen, althans niet zonder het aangename historische besef van de ouwe Schwartner, die absoluut geen wrok meer koesterde, maar er gewoon lol in had en er zijn interesse aan had overgehouden. Hij had een tamelijk grote plattegrond van de stad aan de muur naast zijn sofa hangen, en als hij niet buiten op het veld die zotte verjaarde belegering voor me opdiste, doceerde hij die wel vanaf de sofa, en ik moest het op de kaart met mijn vinger volgen, meestal natuurlijk tussen de stad en de Rode Schans heen en weer. En sta nu even op en kom 'ns hier, Eduard!'

En nu, alsof ik zelf quasi over mijn eigen leven en over Afrika absoluut niets nieuws of bijzonders te melden had, troonde hij me mee naar de rand van zijn burgwal en wees me met zijn vinger op dit zo grenzeloos onbelangrijke stukje wereldgeschiedenis, kanonnengebulder, burgervrees, vrouw- en kindergeschreeuw, brand en bloedvergieten: daar en daar stond die en die. Het corps combiné du Royal François et de Saxons was twintigduizend man sterk. Zoveelduizend Franken en zoveelduizend Saksen. 'In de stad lag een bezetting van zeven- à achthonderd man invaliden en landmilitie onder de oude garnizoensmajoor Von Platz, zijn nakomeling woont nog in de stad als gerechtelijk ambtenaar in ruste, en het is hem werkelijk niet aan te zien dat hij een held als voorvader heeft gehad; elke middag, hoor ik, gaat ie naar De Brompot, en ook jij hebt hem daar misschien aangetroffen, Eduard, en vanwege hem Oliebol en zijn Rode Schans tot op vandaag gemeden. Het was eigenlijk toch niet aardig van je.'

Dat laatste kon wel kloppen; maar hoewel ik nu natuurlijk alles aan Oliebol en de Nieuwe Schans opnieuw hoogst interessant en sympathiek vond, had ik me toch eigenlijk niet naar zijn vesting, zijn Xavers-, Quakatz- en... Valentineburg, begeven om te horen wat hij me tot nu toe over zichzelf en de zijnen uit de doeken had gedaan. Ik had in ieder geval mijn portie thuisgekregen voor alles waarin ik, onaardig genoeg, jegens mijn oertrage en vetste jeugdvriend, mogelijk in gebreke was gebleven.

Hoe die er ook over dacht, in één opzicht stond mij nog iets heerlijks te wachten — Oliebols middagmaal. Toen de geuren vanuit het huis steeds appetijtelijker en delicater waren geworden, keek mevrouw Valentine Schaumann, geboren Quakatz, om het hoekje van de struik achter onze bank en vroeg met de allerliefste, uitnodigendste glimlach op haar lieve gezicht vroeg of het de heren uitkwam. —

Het kwam de heren uit.

Vandaag, onder de linie, is weliswaar de bel van de scheepskok niet aan mijn aandacht ontsnapt, maar ik heb er toch ook geen gehoor aan gegeven. Ik ben van tafel weg- en bij mijn manuscript gebleven. Met de eetlust van de noorderling is het tussen de keerkringen van de kreeft en de steenbok helaas maar al te vaak niet te best gesteld, en wie zich die in die fraaie gebieden tenminste nog met genoegen of althans zonder ongenoegen aan vroeger tafelgenot en betere spijsvertering kan herinneren, mag zich gelukkig prijzen.

'Zo, Tientje, heb je eindelijk weer eens een ander die jou zijn arm aanbiedt,' zei Heinrich, zijn lange pijp tegen de tuinbank leunend, zijn kamerjas wat strakker om zich heen trekkend, wat de enige verbetering en verfraaiing bleef van zijn kostuum voor het diner, terwijl zijn vrouw in een leuke en smaakvolle en even onberispelijke als zondagse huisjapon naar ons toe was gekomen. 'Namelijk,' voegde hij eraan toe (Oliebol namelijk): 'aan die gewoonte is ze inmiddels zo gewend, Eduard, dat ik in dat opzicht langzamerhand op haar kan rekenen. Ze biedt mij steeds ongevraagd de arm aan, en die heb ik nodig ook. Maar, zoals gezegd, vrouw, vandaag mag je je arm aan hém aanbieden. Voor zo'n bijzondere en zeldzame gast doe ik het voor deze keer zonder. Dus gaan jullie maar even voor met z'n tweetjes, ik volg langzaam in jullie gewaardeerde spoor.'

Dat deed hij inderdaad, want we gingen nu werkelijk aan tafel, en wel zonder een tussenstop te maken, laat staan in de Zevenjarige Oorlog te stuiten op prins Xaver van Saksen en de belegering van onze Heimatstad. Vlak achter ons bereikte hij het huis, dat ik op deze dag vreemd genoeg voor het eerst van heel dichtbij te zien kreeg. Tot nog toe was het onder de linden ervoor te aangenaam geweest. En wat er van een bloedige oorlogsschans en van de vogelvrij verklaarde, beruchte schuilplaats van Kienbaums moordenaar te maken was geweest, had Oliebol ervan gemaakt. Dat kon ik niet ontkennen en daar kon hij echt trots op zijn. Het was hem gelukt de kwade geesten hier te verdrijven, dat kon iedereen die Quakatz' huis en hof nog had gekend, in één oogopslag zien. Maar hij, Oliebol, liet zich nergens op voorstaan en zei op de drempel: 'Kom binnen, lieve jongen. Indien de mens met zijn hogere doelen, zoals de dichter zegt, zelf hoger stijgt, is het ook zijn goed recht zich met zijn onbedoeld goede geweten onaangegaapt in de breedte te laten uitdijen. Maar kom de slechte wereld niet met die bescheiden wens onder ogen! Zo, de huisdeur van de oude Quakatz heb ik overigens nog niet aan mijn omvang hoeven aanpassen. Eduard, het is me een waar genoegen arm in arm met jou deze drempel te kunnen overschrijden.'

Daarbij schoof hij zijn vrouw van me af en voor zich het huis in. Hij waggelde werkelijk arm in arm met mij achter haar aan, niet zonder eerst nog even te zijn blijven staan om me te wijzen op de spreuk boven zijn deur. Ik kon mijn ogen niet geloven, maar er stond echt in grote witte letters op een zwarte ondergrond te lezen:

En God sprak tot Noach:
Ga uit de ark.

En toen ik daarop de dikzak werkelijk ietwat verbaasd aankeek, glimlachte deze behaaglijkste aller fauteuilmensen superieur en sprak: 'Omdat jullie een stukje verder dan ik de wereld hebben afgekuierd, lijkt het vanzelfsprekend dat ik in mijn ark ben blijven zitten. Nee, geen sprake van, beste Eduard, het is wel degelijk mijn levensmotto: ga uit de ark!'

Ik had er wel het een en ander op te zeggen gehad, maar hij liet me waarachtig al weer niet aan het woord en vervolgde: 'Wat zeg je alleen al van de manier waarop ik hier buiten Tientje Quakatz' erfgoed heb opgekalefaterd? Hier aan de buitenkant van het huis, bedoel ik. Nietwaar, alles even helder en vriendelijk — alles wat kwast en verf in dat opzicht ter opvrolijking hebben te bieden!'

Het was echt niet nodig mij daarop nog speciaal te wijzen. Iedereen die indertijd de 'moordkuil' op de Rode Schans in zijn totaal verwaarloosde toestand gekend had, moest de veranderde aanblik meteen opvallen. 'Kijk eens,' zei Oliebol, 'op Noachs ark heb ik je al gewezen; schud nu in je fantasie een ander kerstpakketje leeg. Dat waar op het deksel "dorp of stad" staat, bedoel ik. Kieper het maar om op tafel en kies mijn favoriete kersthuisje uit! Wat? Klaar? De muren prachtig hemelsblauw, het dak vermiljoenrood, kozijnen en deur git- en roetzwart, enkel de schoorsteen mooi wit. Er zitten ook aardige paleisjes, huizen en hutjes in andere kleuren in de doos, maar ik heb voor Tientje een helder hemelsblauw gekozen. Daar kan hopelijk niemand Kienbaums bloed meer in ontdekken, hoogstens dat iemand af en toe zegt: "Die oude Schaumann op de Rode Schans is toch ook compleet van den dolle en het is maar te hopen dat zijn vrouw hem goed onder de duim houdt."'

De brave vrouw in de hal draaide zich bij deze woorden om en zei glimlachend: 'Heinrich, alsjeblieft, bij deze oude vriend hoef je toch niet zo voor de gek te spelen als bij de anderen.'

'Maar een klein beetje mag ik dat toch nog wel — hè, ouwe schat?'

'Verbieden kan ik het je niet. Je oudste vriend zal daar ook wel ervaring in hebben, nietwaar meneer Eduard!' lachte Valentine en onderwijl had ook ik aan Oliebols arm de hal betreden en viel van de ene verbazing in de andere.

'Ja, maar wat is dát?' ontworstelde zich, om het plechtig te zeggen, het woord aan mijn lippen.

'Een klein gedeelte van mijn geologisch museum. Het pièce de résistance, het klapstuk, mijn mammoet krijg je straks na het eten te zien,' zei Schaumann.

Ik stond versteld.

'Het is de hobby van mijn ouwe dag,' vervolgde mijn dikke vriend. 'Een mens moet toch enig houvast hebben als hij het gebod van de Heer ter harte neemt en de ark verlaat. Waarom ben je zo verbaasd? Dat krijgt toch zelfs een prins Xaver van Saksen niet voor elkaar, een eenzame of, beter gezegd, tweezame kluizenaar tot in alle eeuwigheid, al die uren, dagen, maanden en jaren, zijn behoefte aan een liefhebberij afdoende te stillen. Kalm maar, Eduard; dit is geheel en al mijn zaak, over die botten ga ik! Hiervan trekken we heus de soep niet, Tientje heeft liever iets versers met wat meer vlees eraan. Ik hoop dat je haar kookkunst, ondanks mijn osteologische museum, zult prijzen en straks in het wereldse gewoel wilt bevestigen dat men op de Rode Schans wel degelijk ook iets sappigs te kluiven heeft. Overigens zie ik tot mijn verbazing dat je een dergelijke hobbyistische gekte bij mij het allerminst vermoedde.'

'Dat kun je wel zeggen!'

'De verlokking van het tegendeel, Eduard, domweg de verlokking van het tegendeel! Word maar eens zo vet als ik, dan zoek je vanzelf je tegendeel — hier deze botten dus! Je huisarts zal er zeker geen bezwaar tegen hebben. Die van mij bijvoorbeeld beschouwt mijn kruipen, kermen en klimmen in de steen- en kiezelgroeves rondom de Rode Schans als een zegen voor mijn constitutie. Als ik hem mag geloven, moet ik schijnbaar aannemen dat de zondvloed speciaal voor mij heeft plaatsgevonden, namelijk om ervoor te zorgen dat ik op zoek naar die vergane *gloriae mundi* de voor mij zo noodzakelijke lichaamsbeweging krijg. En met precies dit soort frasen legt ook Tientje mijn gekte, zoals ze zich uitdrukt, geen strobreed in de weg. "Dat komt ervan," voegt ze er hoogstens aan toe, "als de dikke boer van de Rode Schans zijn hele akkerland laat gebruiken als bietengrond voor de suikerfabriek van Maiholzen."'

'Man!' riep ik. 'Kom op, aan tafel! Je vrouw zit te wachten en ik moet het absoluut ook met haar nog over jou hebben.'

'Maar pas na tafel!' grijnsde Oliebol. Hij vroeg of hij me 'mocht verzoeken', zoals men dat bij zulke gelegenheden beschaafder pleegt uit te drukken en voegde er nog aan toe: 'Dat ik mij op weg naar het eten niet graag laat ophouden en nog minder graag laat storen, zul je uit dierbare jeugdherinneringen nog wel weten!'

Ik wierp nog een blik op de fossielen uit de omgeving van de Rode Schans die langs de muur van de deel op schappen en in open kasten lagen opgestapeld en betrad opnieuw in mijn leven de woonkamer van boer Andreas Quakatz links van het halletje om plaats te nemen aan de tafel die ook Oliebol als eettafel gebruikte en waar al die jaren geleden Tientje Quakatz in mijn aanwezigheid in koppige woede, angst en vertwijfeling met haar hoofd op haar armen lag.

'Wat vind ik het fijn u weer hier te zien, meneer Eduard,' zei Valentine Schaumann. Ik drukte haar in alle eerlijkheid ontroerd de hand boven Oliebols in alle eerlijkheid prachtig gedekte eet- en levenstafel. Maar Oliebol drong aan: of ik maar zo goed wou zijn mijn servet uit te vouwen en lepel, mes en vork ter hand te nemen. Ondanks zijn aandringen keek ik nog even snel om me heen. Ook hier was het nodige veranderd.

'Ja, kijk maar,' zei hij. 'hier kun je goed zien hoe ze me tegen de haren in pleegt te strijken. Behalve mijn kast met coprolieten heb ik hier niets kunnen binnensmokkelen. Daar staat hij, in de hoek, en daar zit zij tegenover je en verwacht dat je haar complimenteert met haar goede smaak. Ze heeft de kamer grondig van haar jeugdherinneringen willen ontdoen, de schat, en dat was haar goed recht. Niks leuks hing hier aan de muur of stond er in de kamer — op deze eettafel na —, niet in het verste hoekje. We hebben echter de vaderlijke eeuwenoude lorrenboedel van de Quakatzhof niet per opbod verkocht. We hebben haar aan de vlammen prijsgegeven, deels op de keukenkachel, grotendeels daarbuiten onder de lindebomen. Daar hebben we een vuur aangestoken, op een mooie zomerdag in de zonneschijn tussen tien en elf uur 's ochtends. Daar hebben we de oude rommel de helderblauwe lucht in gestuurd. O, wat hebben we alle aandoenlijke, stiekeme, sentimentele stemmingen op hun kop gezet. Nou en of, wat hebben we de Rode Schans van zijn ziekte genezen! Kijk, Eduard, hoe dat kind nog altijd zit na te genieten van wat de mensen hier een onberedeneerde, grenzenloze harteloosheid noemden — die moord en brand stichtende furie! Ziet ze er soms uit of ze door het opwarmen van haar bloedeigen daad nog steeds haar eetlust zou laten bederven?'

Zo zag ze er echt niet uit! Valentine Schaumann glimlachte me toe boven onze soepkoppen en zei: 'Merkt u wel hoe grondig Heinrich me heeft opgevoed? Ik heb er ook niets op tegen als hij u na tafel nog grondiger vertelt hoe hij dat heeft aangepakt en hoe ik ook nu nog bij hem in de schoolbank zit. Dat wil zeggen, mannetje, doe eerst maar even je middagdutje, want je vriend Eduard zal zoiets door zijn hete Afrika ook wel gewend zijn.'

'Als Eduard zich aan zijn middagdutje wenst te houden, zal ik uit solidariteit hetzelfde doen. Met de gebruikelijke gewetenswroeging vanwege mijn doktersadvies. Schiep God u met een dikke pens, zo bent u een gezegend — enzovoort. Nou, God zegene ons allen met een zachte sofadood.'

'Van nu af aan ga je verplicht iedere dag na het eten met je vriend of met mij de tuin in en de burgwal op!' riep Valentine. 'Heinrich, ik ben in staat nog een tweede keer het vuur aan te blazen onder de linden en alle sofa's onder je lijf te verbranden.'

'O, jij allerliefste omgekeerde Indische weduwe in spe!' grijnsde Oliebol, en bepaalde zich tot het wezenlijke, te weten tafel en de geneugten daarvan, en tot niets, niets anders dan dat. We aten voortreffelijk en een kwartier lang sprak hij voor de gelegenheid geen enkel woord. Vanwege de behaaglijkheid en de aangename koelte bleven we ook bij de koffie en de sigaar voorlopig binnen zitten, en Tientje Quakatz zat erbij of liep af en aan, blij met haar man en, godzijdank, schijnbaar ook met zijn jeugdvriend, en gedrieën zagen we af van het middagdutje, 'ter ere van mijn bezoek'.

Op het behaaglijkste moment van het spijsverteringsproces liet Oliebol zich achterover in zijn leunstoel zakken, vouwde zijn handen over zijn vrijgekomen borst, draaide met zijn duimen, zuchtte wellustig en — vroeg: 'En, Eduard, lijkt het hier nog steeds op een rovers- en moordenaarshol? Zou je uit vrees voor de middernachtelijke geest van Kienbaum vriendelijk weigeren als we je hier in huis een bed aanboden? Vertel me nou eens eerlijk of je op de Rode Schans nog enig geurtje van bloed en rottenis bespeurt.'

Hopelijk verwachtte hij dat ik nu op zou springen en met handen en voeten afwerend, drie keer een donderend 'nee!' zou brullen. Maar dat plezier gunde ik de bijna angstwekkend genoegzame dikzak toch niet. Ik zei bedachtzaam: 'Ook van je antediluviaanse knekels op de gang ruik je helemaal niets meer. Zelfs die coprolieten daar in de kast kan elke piekfijne dame brutaalweg als presse-papier gebruiken, mits niemand haar vraagt en zij niemand vertelt wat dat eigenlijk is. In de spookkamer van de Quakatzhof zou ik met plezier overnachten als mijn agenda het toestond. Dat je lieve vrouw me in mijn slaap de keel zou doorsnijden geloof ik niet, maar wat jou betreft, ik wil je op deze vredige middag nog uitvoerig uithoren voordat de spookachtige nacht komt. Lieve mensen, onbegrijpelijke man, hoe hebben jullie, hoe heb jij het voor elkaar gekregen de boze geest en gast van de Rode Schans te temmen?'

'Ik heb Kienbaum definitief de doodsteek gegeven,' zei Oliebol. 'Meer was er ook niet voor nodig. Het moet gezegd dat de lummel, of beter gezegd, de arme stakker, een taai leven had, maar ik, ik, heb hem klein gekregen. Als er één mens Kienbaum heeft vermoord, dan ben ik die mens en moordenaar.'

'Jij? Heinrich, mir — o gruwel!'

'Wil je erbij zijn als ik hem dat uit de doeken doe, Tientje?' wendde Heinrich zich tot zijn vrouw, en die zei glimlachend: 'Je weet toch dat je mij daarbij niet nodig hebt, lieverd. Als je geachte vriend het niet erg vindt, luister ik liever zoals nu af en toe even mee, voor het geval je fantasie op hol slaat of je te ver afdwaalt.'

'Ik afdwalen en op hol slaan, Eduard?!'

'Maar ik zou de heren toch willen voorstellen met die vroegere ellende weer buiten onder de groene bomen te gaan zitten. U, Eduard, hoort dat vast en zeker liever in de openlucht. Ik ruim ondertussen hier wat op en kom later —'

'— met mijn breiwerk!' besloot Heinrich Schaumann haar beminnelijke raad en voorstel.

Hij nam zijn sigarenkist onder zijn arm, ik nam hem aan de mijne; de vrouw zette buiten een brandend komfoortje in de stille zomerlucht, en zo zaten we dan weer onder de linden en ik sloeg een laatste kop koffie af en — hier zou ik iedereen kunnen vragen of het niet merkwaardig was op een schip, in zogenaamd volle zee, op mijn thuisreis naar het saaiste en taaiste, zij het voedzaamste leven in den vreemde, aldus over dit zogenaamd inheemse, knus-kneuterige burgerbestaan te schrijven...

'Jaja, Eduard,' zei Oliebol, 'ga uit de ark! Sommigen worden de wereld in gestuurd om een konink- of keizerrijk te stichten, anderen om een riddergoed op de Kaap de Goede Hoop te verwerven en nog weer anderen om een klein boerenmeisje met onderdrukte aanleg tot behaaglijkheid en met een arme stakker van een geplaagde, halfgek gemaakte vader te strikken en haar te laten kennismaken met Henriette Davidis' kookboek en met Heinrich Schaumanns eveneens schandelijk onderdrukte aanleg tot gezelligheid en menselijke waardigheid.'

'Ga uit de ark, Heinrich!'

'Misschien dat jullie toen je hier nog naar school ging, jezelf wijsmaakten dat je idealen had. Ik had het mijne duidelijk in mijn hoofd.'

'Dat weet ik maar al te goed; je hebt het me vandaag al een paar keer gezegd: de Rode Schans.'

'Nee, absoluut niet.'

'Nou, dan vraag ik me toch af wat dan wél!'

'Mezelf,' zei Oliebol met onverstoorbare kalmte. Hij keek over zijn schouder naar zijn huis of er soms iemand in aantocht was die meeluisterde. Hij hield zijn hand bij zijn mond en fluisterde me toe: 'Ik kan je vertellen, Eduard, 't is een pracht van een meid en ze had op een bepaald moment alleen een wijs man, de ideale man nodig om dat te worden wat ik van haar gemaakt heb. Dat snap je toch wel, Eduard, al is het natuurlijk een gebed zonder einde: als ik háár ideaal wilde worden moest ik toch noodzakelijkerwijs eerst mijn eigen ideaal zien te zijn?'

'Uit je ark, kom uit je ark!' mompelde ik. Wat had ik anders moeten mompelen?

'Jullie hadden me weer eens alleen onder mijn heg laten liggen, zoals gewoonlijk, om weer eens zonder mij van het leven te genieten. En 's ochtends op school had Klinkhamer mij weer eens wetenschappelijk als afschrikwekkend voorbeeld gebruikt, als *bradypus*. Ik kan hem nog steeds niet alleen citeren maar ook in levenden lijve ten tonele voeren met zijn: "Kijk hem daar nou toch eens zitten, die Schaumann, de luiaard. Zit hij weer eens in het strafbankje, onze Schaumann, als de bradypus, de luiaard. Heeft een grauwe vacht als verdord blad, vier kiezen. Klimt langzaam naar de volgende klas — beter gezegd: klimt in een boom die hij niet verlaat voor hij het laatste blaadje heeft afgeknaagd. Schuberts leerboek van de nattehis, pagina driehonderdachtenvijftig: klimt naar een andere boom, maar zo langzaam dat een jager die hem 's ochtends op een bepaalde plek heeft gezien, hem ook 's avonds vlakbij terugvindt. En zoiets moet belangstelling voor cultuur, wetenschap, Grieks en Latijn worden bijgebracht!" Heus, Eduard, ook jij bent een van mijn jagers geweest, zij het niet een van de allerergste: hoe vind je me, nadat je me 's ochtends ergens hebt gevonden en me nu 's avonds nog vlak bij diezelfde plek terugvindt?'

Wat moest ik anders zeggen dan: 'Je wou het over de groene, levende heggen van onze jeugd hebben, beste Heinrich, brave vriend! Vertel verder, vertel zoals je vertelt.'

'Goed dan. Jawel, jullie hebben ze vermoedelijk nog in volle groene pracht en ongesnoeid om jullie velden en tuinen in Afrika? Hier worden ze langzaam overal uitgeroeid, de heggen. Daarbeneden rondom het nest waarin wij jong geworden zijn en groene jongens waren, hebben ze die tot hun geluk allemaal door tuinmuren, smeedijzeren hekken en huismuren vervangen. Het is echt alsof ze geen groen meer konden zien! Zelfs hierbuiten beginnen ze er al een eind aan te maken. Ze doen maar, ik persoonlijk heb nog het genot gekend daaronder te gaan liggen, heden in de zon, morgen liever in de schaduw. Onder zo'n heg had ik überhaupt geboren moeten worden en niet in zo'n muffe kamer in de stad die uitkwam op de binnenplaats. Over die heggen hadden mijn luiers gehangen moeten worden en niet om zo'n oververhitte kachel. Heinrich van der Hegge of van Hagen! Nietwaar, dat zou wat geweest zijn voor mij, de veroveraar van de Rode Schans en het bijbehorende Tientje Quakatz, hè Eduard? Heer Heinrich van der Hegge, hoeveel eerwaardiger, edeler, belangrijker zou dat klinken dan kandidaat Schaumann, voormalige zoon van wijlen sub- of hoofdrevisor Schaumann en diens echtgenote enzovoort, met alle burgerlijke fatsoenlijkheden. En des te meer omdat ik haar daaronder, mijn Tientje onder die groene, zonnige, heerlijke, o zo springlevende heg heb gevonden, omdat ik daaronder mijn lief en leven, de voor mij bestemde jongedame, mijn schuwe heggenmus voor dit zoetzure tijdelijke heb weten te strikken. "Ga daar weg, jongen," sprak die jongedame, haar tong tegen mij uitstekend. "Die heg is van mijn vader en daar heeft niemand recht op behalve wij." — "Boerengans! Domme Trien!" zei ik, en daarmee was de eerste kennismaking een feit. Zeer dankzij jullie natuurlijk, beste Eduard; want waarom lieten jullie me daar alleen in het gras onder de hazelaar in vader Quakatz' rijk? — "Ik ben geen boerengans en geen Trien," riep het mokkeltje. "Ik ben Tine Quakatz. Ga weg van onze brink, stadsjongen! Dat zijn mijn noten, dat is onze heg en onze brink; en omdat die heg en die brink van ons is, gaan ze ook zo meteen met drek gooien. Dat hebben ze me vanmiddag op school al beloofd en elkaar gezworen." — Of dat als waarschuwing was bedoeld, kan ik niet zeggen; in elk geval kwam de mededeling te laat. Want op hetzelfde ogenblik al kreeg ik de pastei over mijn kop, op mijn neus, in mijn ogen en gedeeltelijk ook in de wijd geopende uitgangsdeur van mijn spraak, maar ondanks mijn zwakke voeten was ik even later weer de heg over en had de rustieke aanslagpleger met zijn vuist vol zojuist verzamelde akkeraarde bij zijn kraag gepakt en tegen de grond gewerkt. Meteen daarop kreeg ik de hele jonge dorpsbende, jongens en meisjes en honden over me heen en bewerkte Tientje met 'r nagels de gezichten en met haar vuisten het haar van haar speelgenootjes en kwam de complete hondenwachtparade van de Rode Schans langs de damweg ons te hulp! Fijn hoor! Ik voel die stompen vandaag nog en probeer ze me van achteren en van voren van het lijf te houden! Dan opeens de vestinggracht van prins Xaver en de heg op de wal van boer Quakatz tussen ons en de vijand! Mijn god, hoe me daar het bloed uit mijn neus stroomde, en hoe ze daar aan de overkant met hun mouwen het hunne van hun mond veegden en scholden en ons met stenen bekogelden: "Kop eraf, kop eraf! Kienbaum, Kienbaum! Tine Quakatz, je kop d'r af!" Godsamme, en toen de grootste schrik in merg en been, zowel bij mij als bij die verontruste-mensheiddemonstratie aan gene zijde van de gracht. Daar stond hij (die van de overkant stoven weg als mussen voor een geworpen steen), daar stond hij achter mij, voor het eerst van mijn leven dicht naast me: de verdoemde man van de Rode Schans, boer Andreas Quakatz — de moordenaar van Kienbaum! Eigenlijk was het toch jullie schuld, Eduard, dat ik op die manier met hem in contact kwam en hem later meer en meer opzocht. Iemand die door zijn tijdgenoten onder de heg aan zijn lot wordt overgelaten, is erop aangewezen in zijn eentje zijn eigen vermaak te zoeken en de anderen het hunne te laten. — Ja, mijn overleden schoonvader op die dag! Mij scheen hij helemaal niet te zien; ook hij keek alleen maar over de heg naar de gillende, met allerlei ballistisch materiaal smijtende, ons allebei even vijandig gezinde bende. En in plaats van iets te zeggen, draaide hij zich om en liep weer naar zijn huis — Kienbaums moordenaar! Hij kon ook voor zijn kind niets doen en moest het geheel en al aan ons overlaten het zaakje hier af te handelen. Maar die ene beweging die hij gemaakt had, was al voldoende om de jeugdige dorpsbevolking op de vlucht te jagen. "Kom mee naar de pomp, jongen!" zei Tientje. "Wat zie je eruit! Je moeder, als je die nog hebt, slaat je dood als ze je zo ziet." — Zie je, Eduard, daar staat hij nog. Het is dezelfde oude waterput, die keurig water levert. De schacht gaat tamelijk diep door het vestingwerk van de graaf van de Lausitz tot diep in de bodem. In Afrika hebben jullie geen beter water, denk ik, en als je er een slok van wilt hebben, wend je dan zodadelijk maar even tot Tientje. Ze takelt de emmer vandaag nog precies zo op als vroeger. Alleen zei ze toen: "Het is dat wij en ons vee eruit moeten drinken, anders had ik er allang een stelletje daarbeneden liggen!" en met haar vuist dreigde ze naar het dorp, en alle honden van de Rode Schans blaften in diezelfde richting. — Nu waste ik het bloed weg en toen dronken we allebei uit de emmer, door op onze knieën te zakken en er ons hoofd in te steken. Het was ook een soort bloedbroeder- of zusterschap dat daar op die manier werd gesloten. Maar toen we onze mond hadden afgedroogd zei het vrouwtje van de Quakatzburg: 'Als je bang bent om naar huis te gaan nu het nog licht is, kun je hier wel blijven tot het donker is geworden, stadsjongen. Ze zullen je vast en zeker in het dorp opwachten; ik ken ze. Ze zullen erop los timmeren, dus misschien laat je je liever door je vader of je moeder een pak slaag geven voor het te laat komen." — Jullie hebben me nooit in jullie heldenschare meegeteld, Eduard. Van in koper gepantserde Grieken als jullie zou ik nooit het edelste deel van het varkensvlees op mijn bord hebben gekregen. Hoeveel meer heldendom er onder omstandigheden in mij zat dan in jullie, daarvan hadden jullie natuurlijk geen flauw benul. Als ik mijn rugstuk van het spit met gebruineerd meel bestrooid wou hebben, dan moest ik mezelf achter jullie rug om de roem toezwaaien: "Ik ben voor niets en niemand ter wereld bang en voor dat tuig uit Maiholzen al helemaal niet. Die loop ik ook op klaarlichte dag voorbij wanneer ik wil; maar omdat je dat gezegd hebt, blijf ik nu toch maar hier — juist nu!" Registrator Schwartner en prins Xaver van Saksen hadden op dat moment niets van doen met het griezelgevoel eindelijk binnen de beruchte, geheimzinnige Rode Schans te staan. —

"Vader is weer in huis, en wij zijn voor hem veilig," zei wat nu mijn vrouw is. "Je bent aardig voor me geweest, stadsjongen, dus hoef je dit keer niet bang voor me te zijn. Ik gooi je niet in de put. Zullen we eerst in de perenboom klimmen of wil je liever eerst mijn konijntjes zien en mijn geiten? We hebben ook kleine hondjes. Maar daar laat vader er dit keer maar eentje van bij de moeder liggen; we hebben er nog genoeg op de wal. Als vader het me niet had verboden en ik ze mee naar buiten mocht nemen, daar achter de heg buiten op het veld, en als ik ze mocht ophitsen, dan zou ik er wel voor zorgen dat er niemand uit Maiholzen nog met gezonde benen en ongeschonden schorten, rokken en broeken zou rondlopen. Kijk maar hoe onderzoekend ze naar je loeren of ik ga zeggen: Pak 'm! Pak 'm, pak 'm!" Dat was inderdaad zo. Ze hielden me allemaal behoorlijk giftig in het oog en gromden van alle kanten. Maar langzaam ben ik toch wat vertrouwelijker met ze geworden, Eduard. Hier, jij daar, hier, kom eens hier, Prins! Zie je, dat is er nog een van de oude garde of althans stamt hij er nog van af. Ook deze lobbes had het eigenlijk allang tegen de nieuwe geweerlopen of het blauwzuur moeten afleggen, maar ik kan het niet over mijn hart verkrijgen. Mijn vrouw wil natuurlijk ook niets van zo'n liefdadige gewelddaad horen, en zelfs mijn brave kater daar zou er vast en zeker verdrietig om zijn. Goed, ik hoop dat we hem op een morgen in een hoekje zullen vinden, uit deze venijnige wereld vertrokken naar een beter vaderland en in de haven als aangekomen geregistreerd.'

'Kan het zijn dat ik misschien al kennis met hem heb gemaakt toen we, voor we naar de universiteit gingen, hier afscheid van elkaar namen, Heinrich?'

'Denk 't niet. Zo oud wordt geen verstandige hond, hoogstens een weldenkend mens.'

'Sorry, dat ik je onderbrak. Vertel verder, Oliebol.'

'Vind je niet, dat ik voor een schoonzoon van Kienbaums moordenaar toch een echt gezellige verteller ben? Jaja, het was in de waarste zin des woords een moordhol waarin ik tot enige huis- en familievriend uitgroeide! Eén ding kan ik je verzekeren, vriend, dat maar hoogst zelden een schoonvader zijn schoonzoon op zo'n curieuze manier heeft omarmd en geleidelijk in zijn hart heeft gesloten als vader Quakatz mij, zijn dikke, brave Heinrich. En dan die heggenmus, die ik in het heetst van de strijd zout op d'r staart had gestrooid, of beter gezegd, die vlinder waar ik met bloedende neus, een en al blauwe plek, mijn scholierenpet op had gelegd. Ja, ja, zo'n mooi exemplaar vangt niet iedereen die ernaar op jacht gaat! Ach, ach, hoe dat meisje eruitzag in die dagen! Zo'n arm wicht, zou mijn moeder bij leven hebben gezegd, zo'n door de regen gewassen, verfomfaaid, hulpeloos, moederloos, haar eigen kleren verstellende, zich volgens het knippatroon van de Rode Schans zelf oplappend wichtje, en met dat luchtje van bloed, rottenis en onvergolden doodslag om zich heen! Weet je wat mevrouw Schaumann zei toen ze mij daar beneden in het gras van boven uit de takken van de perelaar haar peren toewierp? Ze zei: "Hij is nu binnen, mijn vader, en als hij je niet ziet is dat maar goed ook. Ik weet van iedereen in het dorp en daarbeneden in de stad dat hij Kienbaum heeft doodgeslagen en ik geloof er niks van. Sla me dood, jullie allemaal, als hij het wél gedaan heeft; maar ik weet ook dat hij de hele wereld en jou ook, stadsjongen, zou kunnen vergiftigen. Daar ben ik van overtuigd. Hij zegt dat hij al onze huismuizen en onze veldmuizen en onze woelmuizen ook graag vrij laat rondlopen tot Jan en allemans schade, omdat hij jullie niet te grazen kan nemen." Wat kon ik daar anders op zeggen dan: "Tientje Quakatz, sta er dan maar op dat hij mij als huis-, veld- en woelmuis in de natuurhistorie opneemt, want morgen kom ik opnieuw naar de Rode Schans, als ik niet een straf hoef uit te zitten." — "Mijn vader heeft ook moeten zitten; maar ze hebben hem toch weer moeten vrijlaten. Ze konden helemaal niks hardmaken. Niemand heeft kunnen bewijzen dat hij Kienbaum heeft doodgeslagen."'

Op dat moment kwam Valentine Quakatz weer eens naar buiten, dit keer echter met haar naaimandje, en ging bij ons zitten, haar stoel vlak naast die van haar man schuivend.

'Niet te dicht op de huid, kind!' zuchtte Oliebol. 'Het is me het zomerweertje wel! Goejegod, die mensen buiten op het veld die geen schaduw hebben of er zich toch niet in mogen uitstrekken. We zijn namelijk net bij de schaduw van de Rode Schans gearriveerd, Eduard en ik, en ik vertel hem net hoe je mij voor het eerst de oren, dat wil zeggen, toen was het de bloedneus, hebt gewassen en hoe ik een held was en hoe graag onze papa zaliger de muizen vrij had laten rondlopen en de hele mensheid had vergiftigd.'

'Zorg dat hij u niet al te veel onzin aanpraat, Eduard,' zei mevrouw Schaumann vriendelijk, terwijl ze rustig haar draad in het oog van de naald stak. 'Soms is hij ook nu nog in alle stilte tot alles in staat, alsof hij nog een domme, kleine jongen was. Nou ja, u weet zelf hoe hij is!'

'Zodra de vrouw opdoemt, begint de kritiek en het gekrakeel!' sprak Heinrich, en met breed geëtaleerde buik en welbehagen legde hij zijn vrouw de hand op het hoofd. 'Dat arme wurm! Als ze mij met mijn domheden niet had gevonden! Afijn, waar waren we gebleven, Sir Eduard?'

'Onder de perelaar. Waarschijnlijk onder die daar.'

We keken alle drie in die richting en Valentine knikte nadrukkelijk.

'Klopt,' zei haar man, 'zij zat erin en ik zat eronder. Zij plukte en ik at. Eduard, jullie hebben wegens mijn lichamelijke aanleg mijn geestelijke steeds miskend. Jullie superslimme hardlopers, gymnastische apenrepubliek, hadden er geen flauw benul van wat er in een bradypus allemaal kookt en borrelt. Met dat wichtje, dat meisje daar, zat ik goed. Die was voortaan mijn vriendin en mijn beschermelinge en ik haar beschermheilige, haar Sint-Heinrich van der Hegge; dat sprak vanzelf —'

'Lieve man —'

'Lieve vrouw, en even vanzelfsprekend, of beter gezegd, even logisch, kwam nu — val me niet aldoor in de rede, oudje — kwam nu de ouwe aan de beurt. En dat klikte natuurlijk ook. Jullie, Eduard, hielden mij voor dom en gulzig; hij hield me vermoedelijk ook voor gulzig, maar, gezien mijn algemene onschadelijkheid, echter ook voor een licht in een bepaald deel van het donker dat zijn leven omgaf, zijn arme leven, Tientje!'

Die laatste paar woorden had hij zodanig uitgesproken dat zijn vrouw toch weer dicht tegen hem aanschoof. Ze legde ook haar hand op de zijne, en hij sloeg zijn arm om haar heen en zei nog eens: 'Tientje, mijn ouwe Tientje Quakatz!'

Toen wendde hij zich weer tot mij en inmiddels kon ik met die verandering van toon wel uit de voeten.

'Namelijk de volgende dag na de heggeslag was ik natuurlijk voor de tweede keer in registrator Schwartners toverrijk en dit keer zat *ik* in de boom, een lage appelboom — die daar dus. En dit keer stond Tientje eronder met opgehouden schort, en weer stond plotseling de ouwe daar en keek stom naar me omhoog en de barometer leek op storm te staan. — "Vader, hij wil alleen studie maken van onze vesting," zei Tientje, misschien toch ook een tikkeltje bedeesd. "Hij komt met de geschiedenisboeken vanwege de belegering en ze hebben zijn huis van hieruit beschoten." — "Kom eerst maar eens naar beneden," zei vader Quakatz. En hoe snel zelfs een bradypus, een luiaard, uit een boom kan klimmen, bewees ik nu. Daar stond ik voor Kienbaums moordenaar, en als ik niet al verwachtte nu eveneens te worden doodgeslagen, was toch ook Tientje van mening dat haar oudeheer op zijn minst naar het vrije veld achter de vestinggracht zou wijzen en zeer nadrukkelijk zou zeggen: Wegwezen, jij! — Er gebeurde echter iets anders, hij zei alleen: 'Van mij mag ie,' wat toch alleen maar kon slaan op mijn onderzoek naar zijn huis en erf. Daarna dachten we dat hij zich op zijn manier wel weer zou omdraaien en weggaan; maar ook dat gebeurde niet. Hij bleef en vroeg: "Jij gaat naar die Latijnse school?' — "Jjjja, meneer Quakatz!" — "Kun je dat lezen? Dat Latijns bedoel ik." — "Jjja,' stotterde ik niets kwaads vermoedend. — "Verdeel dan die appels en kom daarna even in de woonkamer. Je moet me iets voor me vertalen uit het Latijn." — Toen zat ik natuurlijk aardig klem. Zo had ik zijn vraag niet opgevat. Ik roep de geleerde Afrikaander Eduard op als getuige hoe je papa me helemaal verkeerd begrepen had, vrouw! Maar wie in de val zit, die zit erin; en na een ongemakkelijk, aarzelend, appelkauwend kwartiertje buiten, zat ik nog langer binnen, zat ik met de verstoten man van de Rode Schans in zijn woonkamer, onze huidige eetkamer, Eduard, die kamer die je in zijn toenmalige muffe ongezelligheid hebt leren kennen bij ons afscheid van de schooltijd, Eduard. Aangezien mijn getreuzel de oudeheer wat te lang had geduurd, was hij opnieuw de tuin in gekomen, had me bij mijn bovenarm gepakt, mee in zijn rovershol genomen en me aan tafel onder de driestuiversprent van Kain en Abel op de bank neergeplant, en wel met de woorden: "Wat zit je te trillen, jongen, ik zal heus je keel niet doorsnijden." — Daarna ging hij naar een kast, die ik nu door mijn coprolietenplanken heb vervangen, trok een dik boek in varkensleer tevoorschijn, legde het voor me neer op tafel, nadat hij er een poosje in had gebladerd, ging naast me zitten als naast een volwassen man en jurist, priemde met zijn harde, knokige wijsvinger op een bepaalde regel en zei: "Hier, latinist! Maak daar op jouw manier maar eens Diets van — woord voor woord. Het is het korpusjuris, het korpusjuris, en ik wil het wel eens van iemand in mijn moerstaal horen, die nog niets van het korpusjuris, van het korpusjuris weet!" De regel was met rood krachtig onderstreept en de hoek van het blad was omgevouwen, en alles wees erop dat zich hier vaker een van opwinding trillende duim en wijsvinger hadden bevonden. Maar ik zat voor het boek en wreef treurig met mijn knokkels mijn ogen uit: we waren nog niet zo ver op school dat we boer Quakatz het juristische boek der boeken hadden kunnen uitleggen. En terwijl ik me net als op school kleiner maakte, stotterde ik eindelijk: "Meneer Quakatz, als ik de woorden moet weten, heb ik hier mijn woordenboek nodig en dat heb ik beneden in de stad." — "Dan haal je het en breng je het morgen weer mee. Ik ben gek zo met je te praten; maar de wereld heeft het zo gewild, en ik kan evengoed met jou praten als met iemand anders, als ik over mijn zaak wil praten. 't Is afgelopen, ik wil geen geleerden, geen affokaten, geen hoge pieten meer als het om mij en mijn zaak gaat. Jij bent slim genoeg om m'n verhaal aan kwijt te kunnen, liever dan aan een knappe kop. Vroeger deden onze voorvaderen dat ook zo, die hielden zich ook bij de dommen en onmondigen. Jongen, jongen, Tine zegt dat je hier gekomen bent om studie te maken van de Rode Schans. Maak er maar studie van en zoek voor me uit wie er gelijk heeft, de rest van de wereld of de boer op de Rode Schans! Jij hebt het vanuit je rechtvaardigheidsgevoel voor mijn meisje opgenomen, ik heb het vanachter de walhaag allemaal gezien, nu wil ik het wel eens uitproberen of het waar is wat er geschreven staat: 'Uit de mond van kinderen en zuigelingen wil ik de waarheid plaats bereiden.' Als jij kunt uitvissen wie Kienbaum heeft doodgeslagen, doe ik jou en die registrator Schwartner de Rode Schans cadeau met alle historiën van de Zevenjarige en Dertigjarige Oorlog en vertrek ik van hier met mijn kind en de witte staf in mijn hand als de grijsaard uit het sprookje. Het meisje vertelde me dat ze jou ook links laten liggen: dus probeer het, vis uit wie Kienbaum heeft doodgeslagen en ik vermaak aan jou en al je rechtsopvolgers de Rode Schans."

Jaja, Valentine Schaumann, geboren Quakattelijne, zo ging hij om met je wettig erfdeel; maar als er één ontoerekeningsvatbare, vraatzuchtige, zwakvoetige bradypus in staat was jou het jouwe te geven, dan ben ik het geweest, Heinrich Schaumann, bijgenaamd Oliebol. Eerst piepte ik nog wel tegen de boer van de Rode Schans: "Meneer Quakatz, ik weet toch helemaal niet of ik dat wel kan. Ik ben de laatste keer alweer blijven zitten." — "Probeer het!" zei de toekomstige schoonvader, en zijn dochtertje stootte me aan met haar elleboog alsof ze wou zeggen: "doe het dan voor mijn plezier"; en toen we weer buiten in de tuin stonden, fluisterde ze me toe: 'Wees toch niet zo dom, hij weet immers zelf niet wat hij met dat vreselijke boek wil. Het is ook alleen maar omdat hij helemaal niemand, niemand, niemand heeft, behalve de affokaten die hij niet meer wil, met wie hij kan praten. En morgen komt hij er heus niet meer op terug: hij is nu gewoon even op het idee gekomen omdat hij jou als geleerde is tegengekomen. Breng gewoon je dikste boek mee. Je kunt je hier nu immers vertonen en dan kun jij rondkijken en proberen wat je voor ons kunt uitvissen." —

Nou ja, vrouw, jij kunt Eduard beter zelf vertellen hoe ik me toen zo van tijd tot tijd op de Rode Schans heb vertoond om er ten slotte definitief te blijven. Dat ik voor de moordboer op de Rode Schans niet het Corpus Juris in het Duits heb vertaald, dat staat vast. Maar wat ook vaststaat, schat van mijn hart, lieve goede vrouw, en jij, mijn Afrikaanse vriend, dat ik er en passant en bijna zonder er iets voor te hoeven doen, achter ben gekomen wie de moordenaar van Kienbaum was — wie Kienbaum heeft doodgeslagen.'

Zonder storm of zelfs cycloon zijn we er tot nu toe goed doorheen gekomen. Maar gistermiddag klonk er op de Hagebucher opeens de kreet: 'Brand op het schip!' En alleen de scheepskok bleef kalm, want hij wist aanvankelijk als enige waar die brandlucht vandaan kwam. Hij wist als enige van die oude wollen sok die tussen de kolen van zijn ovenkachel verzeild was geraakt. Die lamlendige nigger had hem in het noordelijke Hamburg nog aan zijn eigen voet gehad; maar onder de evenaar had hij de schone overblijfsels daarvan niet meer nodig gevonden.

Alsof vanuit het huis zojuist ook de kreet 'Brand! Brand op de Rode Schans!' had geschald, was ik opgesprongen en stond Valentine rechtovereind bij de tafel en had ze haar breiwerk een eind weggesmeten.

'Wat zeg je me nou?' stamelde ik. 'Mevrouw Valentine —'

De vrouw stond daar bleek en met stomheid geslagen en staarde met grote ogen naar haar man.

'Precies wat ik zeg,' zei deze. 'Het is een oude waarheid, ook de domste kan zijn doel bereiken, als hij zich maar als een buldog vastbijt. Ja, kinderen, ik ben erachter gekomen wie Kienbaum heeft doodgeslagen.'

'Maar je vrouw dan! Kijk toch eens naar je vrouw! Man, man, heeft je vrouw dan tot nu net als iedereen —'

'Mijn vrouw hoort op dit moment eveneens voor het eerst van mijn ontdekking. Dat kun je toch wel aan haar zien, Eduard. Maar ga nou toch weer zitten, Tientje! Lieve, lieve schat, mijn goeie, brave ouwetje, blijf toch kalm! Bedenk wat we hebben afgesproken: pas als mijn pijp ergens van uitgaat, is het jouw beurt moord en brand te schreeuwen, met je voeten te stampen, je armen ten hemel te heffen en de wereld van je tranen of grofheden te laten genieten. Kinderen, doe me een plezier en zit stil!'

Wat zijn tabakspijpafspraak ook precies mocht inhouden: zijn pijp stond toch op het punt om uit te gaan. Maar door er een paar keer krachtig aan te lurken kreeg hij de vlam er weer in, blies een blauwe wolk in de lieflijke zomerlucht en — kortom, hij was me de oliebol wel en indertijd terecht zo door ons gedoopt! Aangezien zijn vrouw inderdaad weer ging zitten bleef mij niets anders over dan hetzelfde te doen.

'Heinrich!' mompelde angstig, smekend de vrouw. Ik bromde onwillekeurig: 'Kom toch uit de ark, monster!' Maar Oliebol zei, nog steeds schoksgewijs aan zijn pijpensteel zuigend: 'Maar — kinderen — laat me nou toch — de geschiedenis van de complete verovering van de Quakatzburg in alle rust vertellen als jullie dat interesseert. Onderbreek me toch niet aldoor! Die eeuwige opwinding in dat beetje mensdom dat toevallig even langskomt en zich binnen de kortste keren uitstrekt en dood is! Val me toch niet om de drie woorden in de rede als we voor het avondeten de zaak nog willen afronden.'

Onze man deed het waarachtig zo voorkomen alsof het avondeten het allerbelangrijkste was. Er zat niets anders op dan hem als een luiaard in zijn boom te laten klimmen; maar zelfs voor iemand die de hele of halve wereld heeft afgeschuimd en meent zelf ook het nodige achter de kiezen te hebben, begon die koelbloedigheid toch langzaam iets al te verontrustends te krijgen.

'Hartje, schenk me nog maar een kop koffie in en geef Eduard er ook een. Je windt je toch niet op, kindje? Wat een prachtige dag hier in de koelte met daarbuiten de verhitte wereld! Zo — nog een klontje suiker.'

De arme vrouw deed wat hij vroeg, maar als een slaapwandelaarster, als gehypnotiseerd. Ze keek niet naar de koffiepot en de kopjes — alleen maar naar haar man, als naar iemand van wie je niet weet of je hem voortaan nog lief kunt hebben of doodsbenauwd voor hem moet zijn.

'Heinrich, ik smeek je —'

'Doe dat niet. Je weet toch, kind, dat je dat niet hoeft! Ken ik niet al je wensen van tevoren? Ik zeg je, Eduard, ik hoef het niet eens van haar gezicht af te lezen zoals het gros van alle goede echtgenoten. Je krijgt heus alles te horen, Tientje. Het is nu immers al zo lang geleden dat het niemand meer schaadt of tot leedvermaak dient, niemand die er nog belang bij heeft die oude verjaarde, muffige verschrikking nog met een tang aan pakken, aan het licht te brengen en in de zon met één teen om te draaien. Overigens, jullie mogen kiezen: moet ik gewoon verder vertellen of willen jullie in drie woorden horen waar het op staat?'

'Vertel verder, mens nog aan toe!' kon ik nu niet nalaten te roepen, en de vrouw zei, meer dan ooit, naar het scheen, in de ban van een vreemde macht: 'Ik kan er niks tegen doen; het zal ook wel het beste zijn zoals jij het ziet.'

'Dan houden we het nog even idyllisch en laten Kienbaum voor wat hij is, zo lang dat nog kan,' zei Oliebol. 'Waar zijn die versteende gezichten trouwens voor nodig? Stel dat ik jullie zo aankeek! Nee hoor, daar zijn we door het slechte voorbeeld van de boer op de Rode Schans voldoende voor gewaarschuwd. Als er iets van zijn ellende te leren viel, dan was het wel 's werelds loop kalm en gelijkmoedig op je af te laten komen. Natuurlijk moet je daarvoor ook met een bepaalde aanleg op de wereld zijn geworpen: niet iedereen hoeft zo robuust te zijn het nieuwe Duitse Rijk op te richten, neer te zetten en te zeggen: nu kunnen jullie enzovoort... Heus, beste Eduard, laat ieder maar op zijn eigen manier uit de schaapskooi komen. Neem nou bijvoorbeeld ene Heinrich Schaumann. Die heeft nou tenminste eens van voren naar achteren gehoor gegeven aan zijn eigen natuur, heeft gedaan en gelaten wat hij moest doen of wat hij moest laten — is het dan uiteindelijk later zijn schuld als er op de een of andere manier toch iets verstandigs uit komt rollen? Absoluut niet! Voor die verantwoordelijkheid bedank ik hartelijk. Aangezien ik niet in een leuke, schone, rondom behaaglijke wereld kan leven: wat kan het mij schelen of ik in een verstandige, rationele wereld leef? Plato, Aristoteles, de onvolprezen Kant, God hebbe zijn ziel —'

'Man, man, man, maak me niet compleet waanzinnig!' riep ik, met allebei mijn handen naar mijn oren grijpend, en Oliebol zei lachend: 'Zie je, Eduard, zo zie je hoe de betere mens na jaren kalm te hebben afgewacht en geduldig spot en hoon te hebben geïncasseerd, zijn achterstelling betaald zet. Daarop, op die genoegdoening, heb ik hier in de luwte gewacht, terwijl jij met je Levaillant in het hete Afrika op olifanten-, neushoorn- en giraffenjacht ging of je op een andere overbodige manier in het zweet geploeterd hebt. Dus we houden het nog even idyllisch, alvorens we verder praten over Kienbaum en hoe hij aan zijn einde kwam. Achteraf mag je zelf beoordelen wiens verhaal je het belangrijkste vindt: het jouwe, het zijne of het mijne. Wees maar kalm, Tientje, en vertrouw ook vandaag maar weer op je man! Jij bent partij, maar je weet toch: je man trekt altijd voor jou partij!'

We lieten dus, we moesten wel, Kienbaum voorlopig nog ongewroken verder vergaan in zijn graf en hielden het idyllisch.

'Ik heb je, geloof ik, al een paar keer aangespoord mijn vrouw goed te bekijken; maar nu vraag ik je opnieuw: bekijk haar eens goed. Zo lief als ze daar zit! Kun je het vandaag de dag nog voor mogelijk houden dat ze er ooit bij zat als een tot wilde kat omgetoverde jonkvrouw die wacht op haar verlossende ridder? Mij hoef je daar verder niet op aan te kijken: hoe diep jullie, en jij dus ook, al van jongs af aan onder de indruk waren van mijn heldhaftige ridderdom is bekend, en dat hebben jullie me laten weten ook. Maar die dwazen hebben me toch onderschat. Vertel jij hem maar eens, ouwetje, hoeveel series bibliotheekhelden ik eigenlijk bij me droeg en tentoonspreidde, toen jij me voor de eerste keer zei: "Hé, mijn vader vindt je aardig, dus kom gerust bij ons langs." Nee, zeg het maar niet tegen vriend Eduard hier, anders maakt hij meteen van de gelegenheid gebruik de verloochende Pylades uit te hangen en te beweren dat hij me nooit heeft miskend. Om op je papa terug te komen: "Natuurlijk kom ik morgen terug en heus niet alleen vanwege jullie peren. Je vader is een toffe kerel, en als hij iemand heeft doodgeslagen, dan heeft diegene het dubbel en dwars verdiend. Dat met zijn dikke wetboek en mijn Latijn is natuurlijk maar onzin, maar dat met de kogel die van de Rode Schans tot aan ons huis is gevlogen, niet. En als ik de oude Schwartner vertel dat jouw vader mij op de Rode Schans heeft binnengelaten, dan geeft hij mij zo vier stuivers en dan, let op, dan komt er hier ook gebak en niet alleen appels en peren. Morgen ben ik hier weer.'

Aangezien de volgende dag noch vader noch moeder noch de klassenleraar roet in het eten gooide, was ik er weer. Wat dacht je, Tientje, wie er hier hartgrondiger koning gekraaid heeft: prins Xaverius van Saksen vanaf de Rode Schans over de stad, of Schaumanns dikke, domme jongen vanuit de stad over de Rode Schans?'

'Jij!' zei Valentine en voegde er tegen mij aan toe: 'Er is geen kruid tegen gewassen; zijn wil bepaalt hier de weg.'

We lieten zijn wil de weg bepalen, en op die weg waggelde hij verder, in het zekere bewustzijn ons in de hand te hebben.

Eerst stopte hij zijn pijp opnieuw, toen verzuchtte hij: 'Omdat de wereld van hem, de schansboer, niets meer wilde weten, omdat ze hem niet genoeg aan de praat hadden gekregen, probeerde hij naar zijn aangeboren goed recht de wereld links te laten liggen, zo goed en zo kwaad als het ging. Eigenlijk meer kwaad dan goed, want voor die taak had hij noch mijn postuur noch mijn gemoed. Hij was daar van nature veel te mager voor, veel te levendig, veel te mensvriendelijk. De raadsels en de bittere pillen komen maar al te vaak bij de verkeerde terecht. Wat had het mij, dikzak, kunnen schelen, de wereld door te vegeteren onder de verdenking Kienbaum te hebben doodgeslagen? Absoluut niets! Of de zaak zou zelfs een zekere glans op mij hebben afgestraald; want de wereld zou vast en zeker hebben gezegd: "Hé, kijk nou eens! Eigenlijk zou je die luiwammes daar nauwelijks toe in staat achten en in feite is hij voor zo'n daad ook veel te dom." Maar vader Quakatz? Wat bleef hem om niet helemaal gek te worden, anders over dan zijn zin en zijn gedachten op allerlei dingen te richten waar eerder op de Rode Schans nog geen boer op was gekomen? Dat ik, Heinrich Schaumann, bijgenaamd Oliebol, hem daarbij de helpende hand kon bieden, was echter door de voorzienigheid bepaaldelijk zo gewild. Daar was op de eerste plaats de geschiedenis van zijn burg, en ik zei tegen hem: "Meneer Quakatz, hiervandaan heeft de prins van Saksen een hele hoop mensen daarbeneden in de stad om zeep geholpen."

"Ja, jongen, in de tijd van de Zweden."

"Nee, meneer Quakatz. Zo lang is dat nog helemaal niet geleden. Dat was in de Zevenjarige Oorlog."

"Kun je me een paar namen nemen, jongen?"

'Nee, maar ik kan er registrator Schwartner naar vragen en ze bij hem thuis overschrijven. Hij heeft ze allemaal op papier staan."

"Breng dan dat register maar eens voor me mee, dikke. Maar zeg niet dat ik het heb willen hebben. Ze zouden er anders weer het nodige van denken."

En een van de volgende dagen staken we in plaats van boven het Corpus Juris onze koppen bij mekaar boven mijn afschrift van het dossier van de oude Schwartner, en de boer van de Rode Schans probeerde uit te vissen welke lieden vandaag de dag de rechtsopvolgers waren van de doden van zeventienhonderdeenenzestig en daarom eventueel de rechtsopvolgers van de graaf van de Lausitz konden aanklagen. Welke troost je papa daaruit putte was me in die tijd duister. Vandaag denk ik dat ik het weet. Van de botten van het nabije verleden gingen we toen over tot die van de werkelijke prehistorie; en het was voor mij een grote dag, beste Eduard, toen boer Quakatz mij voor het eerst naar een afgesloten stal bracht en, terwijl hij wees op een merkwaardige hoop botten, vroeg: "Wat is dat, jongen?" Ja, wat was dat? Een tamelijk compleet mammoetskelet was het en — "ik ben er bij de grindgroeve achter de boerderij op gestuit," zei de boer, "er ligt nog wel meer van dat spul, want deze schans lijkt wel een soort aanslibsel uit de tijd van de zondvloed. Ach, m'n jong, uit de tijd van de zondvloed! Je weet niet half hoe het de boer van de Rode Schans te moede is, als hij in de bijbel over de zondvloed leest; maar als jij in je boeken iets hebt staan over dat beenderenspul, kom er dan mee voor de dag, maar zeg tegen niemand wat voor versteende draak Kienbaums moordenaar als troost in zijn grindgroeve heeft gevonden."

Ik heb in die tijd niemand iets verteld over de interessante vondst die Tientjes vader had gedaan; maar als vandaag de postbode (niet meer vriend Störzer) op de Rode Schans verschijnt, dan heeft hij behalve de krant gewoonlijk iets van het een of andere geologische of aanverwante genootschap voor de heer Schaumann bij zich. Het idee om in een latere laag zelf ooit tussen die merkwaardige versteningen te worden gevonden, heeft voor wie er in gemoede over nadenkt, zoveel prikkelends dat het je, vooral ook als je er de tijd voor hebt, rechtstreeks verwijst naar de petrefactenkunde, naar de paleontologie. En je hoeft alleen maar nog eens die paar stappen naar de borstwering van onze schans te doen en de omgeving in dit verband in je op te nemen om hem plotseling in een heel ander opzicht uiterst interessant te vinden. Tussen trias en krijt niets als water, en het eerste het beste eiland die blauwe berg daar in het Zuiden! Of het in het eoliticum wat minder vochtig werd, in het mioceen naar huidige begrippen min of meer droogviel, en of er in het plioceen zelfs af en toe al wat stof over de Rode Schans waaide, dat liet de boer hierboven totaal onverschillig: die vroeg alleen maar wie ter wereld er iets van zijn relatie met Kienbaum af wist of zou kunnen af weten. Maar mij, de huidige boer op de Rode Schans, heeft het in de loop der jaren niet onverschillig gelaten. De dokter had namelijk tegen Tientje gezegd: "Gezien zijn lichamelijke constitutie is er voor uw echtgenoot niets beters dan deze liefhebberij en zijn kruiptochten in steen-, grind- en mergelgroeven; hoe meer hij zweet bij het botten zoeken, des te beter is het voor hem en voor u." En, Eduard, als ooit een vrouw een dwaze liefhebberij van haar man gestimuleerd heeft, dan is het Valentine Quakatz na dit doktersadvies. O Eduard, in het tertiair moet het hier nog zo heet zijn geweest als vandaag de dag bij jou thuis in het heetste Afrika, en als ik in die tijd hier was gearriveerd, had ik dat noodgedwongen zonder morren geaccepteerd. Maar, stel je voor, pas in de ijstijd — in de ijstijd! — is met de eerste zoogdieren ook de mens hier op de Rode Schans aan komen lopen

— en zou dan een nazaat van hem in een zomer als deze niet zweten, als hij hier rondom de heuvel van prins Xaver van Saksen uit wetenschappelijke piëteit de eerste sporen zoekt van zijn voorouders?'

Onmogelijk vandaag verder te schrijven. Het schip stampt te veel. Holle zee. Kapitein ongenaakbaar. Matrozen druk in de weer en uiteraard buitengewoon grof. Nigger-steward stomdronken. Passagiers — 'de duivel hale dat gejammer! zij overschreeuwen de storm en ons werk! Heigh, my hearts! cheerly, cheerly, my hearts yare, yare!' — zie *De Storm*, een sprookjesspel van William Shakespeare, maar bezie het vooral, als het maar enigszins mogelijk is — vanuit de veilige stalles of een andere comfortabele plaats in de schouwburg.

Twee dagen en twee nachten heeft het onweer aangehouden. De 'schimmen krompen ineen onder de wateren', en zo deden ook 'hun bewoners'. Wie zou er niet graag uit de ark zijn gegaan als hij had gekund! Waarlijk, de Heer heeft me weer een keer grote wonderen op de grote zee getoond, en hoe gezellig is het nu des temeer om nog altijd met onze kleine en grote jeugdherinneringen en -ervaringen op de Quakatzburg bij Heinrich Schaumann, bijgenaamd Oliebol, te gast te zijn en de dikke vriend tegen zijn vrouw te horen zeggen: 'Maar, kindje, wat hebben jij en Eduard eigenlijk voor boodschap aan mijn en je vaders speciale hobby en aan de paleontologie? Wat interesseert het jullie hoe lang de oceaan boven de Rode Schans heeft gestaan, voordat de mogelijkheid ontstond om Kienbaum daar in de buurt dood te kunnen slaan? Hoeveel prettiger is het toch te memoreren dat de Heer na de zondvloed jong groen, struik en geboomte uit de aardbodem deed opschieten en dat hij er bloesems als kerstboomkaarsjes in zette en er allerlei vruchten in hing, begeerlijk om te zien en goed om van te eten! Eduard, hoe vaak moet ik het je nog zeggen dat de edele naam Oliebol de drager ervan de nodige verplichtingen oplegt. Wat een gezegend en voedselrijk leven hier op de Rode Schans! O Tientje, o Valen — ti — ne, en zo met jou onder de hazelaar, kauwend en smakkend, terwijl de rest van de wereld moeizaam bezig is zijn armzalige, met papier bespannen vliegerskeletten op te laten in de herfstblauwe lucht.'

'O Heinrich,' onderbrak de arme vrouw hem nog één keer, 'lieve Heinrich, ik smeek je bij alles wat los- en vastzit, doe je niet slechter voor —'

'Gulziger' zul je bedoelen —'

'Wat mij betreft, dat ook! Maar alsjeblieft, alsjeblieft, doe je op dit verschrikkelijke moment waar ik zit te bibberen van wat je net zei over Kienbaum, doe je niet afschuwelijker voor dan je bent. Ben je dan alleen maar voor de fruitbomen en de kruisbessen naar mij, naar ons toe gekomen uit de stad?'

'Absoluut niet, schat. De voorraadkamer en de melkkamer waren niet minder attractief. Neem nou alleen al de verse boter en het boerenbrood! En jullie kaas! Voor mij diende alles wat de klassieke en moderne wereld heeft laten drukken uitsluitend als inpakpapier. Want, Eduard, ik zorgde ervoor dat niet alleen mijn buik maar ook mijn zakken bol stonden.'

'Hij is onverbeterlijk!' verzuchtte de vrouw, zich tot mij wendend. 'Ik heb het eigenlijk ook al sinds onze eerste kennismaking opgegeven hem te beleren en probeer het alleen nog maar af en toe pro forma in aanwezigheid van vreemden of bij prettig bezoek. Maar nu serieus, mijn lieve hemeltje, ja nu even bloedserieus, ik kan nu beter maar zelf je vriend het een en ander vertellen over onze verhouding toen, tenminste als je ons toch niet eerst wilt zeggen —'

'Nee, dat wil ik niet. Als er ergens geen haast bij is, God zij geloofd, dan is het daarbij wel! Jij zult hem niet meer opknopen of onthoofden, schat. Het is te laat. Niemand pakt vandaag nog Kienbaums moordenaar bij zijn kladden, behalve de hoogste rechter; en wie weet heeft die ons vandaag hier bij elkaar gebracht om de rechtbank voltallig te maken!'

'Heinrich, het dag- en nachtspook van mijn vader —'

'Nog even niet, kindje. Kijk in de heerlijke blauwe lucht daarboven, kijk in Eduards magere, maar welwillende, hoewel ietwat schuchter gespannen Kaffergezicht en houdt het nog een ogenblikje idyllisch. Van mij mag je hem op jouw manier onze liefdesgeschiedenis vertellen. Ik zeg je op mijn woord: wat dat andere betreft, het komt er waarachtig niet op aan of je de details een paar minuten eerder of later te horen krijgt. Je vader, onze vader, heeft met onze hulp in alle rust en vrede het tijdelijke gezegend. En Kienbaums moordenaar heeft van de medemens of de volgende generatie ook niets meer te duchten, behalve dan wat lelijke praatjes. En dat laatste misschien ook alleen maar als jullie, jij en Eduard, er morgen je mond niet over zouden kunnen houden.'

De vrouw schudde nog eens het hoofd over haar alles beter wetende en begrijpende man, legde vervolgens haar gevouwen handen op de tafel en beperkte zich eveneens tot haar en zijn levensidylle, en het klonk ondanks alle melancholie en de opwinding en spanning van het moment allerinnemendst en allerschattigst wat ze vertelde, voordat Oliebol het geheim van de Rode Schans openbaarde.

'Ik kan niet zeggen hoe fijn ik het vond dat de jongen bij ons kwam,' zei ze. 'Zoals het mij vergaan is als kind ken ik dat van niemand onder al mijn kennissen. Armelui in de stad en op het platteland krijgen zeker ook het nodige te slikken; maar wij hier op de schans behoorden niet eens tot de armelui en toch — als ik onder de heg was geboren en uit mijn moeders rugmand in het meelij van de goegemeente was gekukeld, had ik het beter gehad dan als het rijke enig kindje en dochter van de boer van de Rode Schans! Dat ik na alles wat ik in het dorp, op school en op het veld heb moeten meemaken en beleven niet honderd keer vaker een moordenaar ben geworden dan mijn arme overleden vader, dat is niets minder dan een oneindig groot wonder. Wat ik heb moeten zien, horen en voelen voordat ik voor het eerst mijn plek op aarde had gevonden, is met geen pen te beschrijven.'

'Hmm,' sputterde Oliebol, 'misschien is juist dat momenteel meer de moeite waard dan wat dan ook.'

'Nee, Heinrich, het was toch veel te ellendig.'

'Juist daarom,' bromde Heinrich Schaumann, maar zijn vrouw riep nu: 'Ik heb je laten uitpraten, dus nu laat je mij aan het woord, nu je er immers zelf om gevraagd heb. En als meneer —

meneer —'

'Eduard —'

'Ja goed, als onze lieve vriend Eduard zo goed wil zijn genoegen te nemen met onze kleine belevenissen hier in de eenzaamheid.'

'Eenzaamheid?!' grijnsde Oliebol. 'Nou zeg, hij krijgt het in zijn Afrikaanse woestijn vast regelmatig benauwd van de drukte. Als ik me ergens een eeuwige sabbatstilte voorstel, dan is het precies in de streek die hij heeft uitgezocht, onze goede vriend — meneer — Eduard.'

Ik weerstond de verleiding de dikzak met zijn lucide opvatting over mijn bestaan en mijn exotische verworvenheden stevig terecht te wijzen, nam zijn vrouw bij de hand en zei: 'Maakt u zich absoluut geen zorgen, lieve vriendin, lieve Valentine, en vertel als soelaas voor mijn eenzaamheid over uzelf en uw vader en de Rode Schans.'

'Ja, alleen over ons drieën weet ik ook wel wat. Ik ben nog nooit op een eiland in de zee geweest, maar zoals ik me dat voorstel waren wij met z'n drieën samen als een eiland in de zee.'

'Maar in plaats van de blauwe Caribische Zee omringde ons een fraaie walmende drab, stroperig, grijsgeel, met groene schimmelvlekken, en rook naar pek, zwavel en nog veel erger!' bromde de onverbeterlijke Heinrich.

'Kunt u zich, Eduard, als je een opgejaagd dier en alleen gelaten kind bent, een betere verblijfplaats voorstellen dan deze oude vergeten oorlogsburg van ons?'

'Absoluut niet, Valentine.'

'Was het niet erg dat ik als jong ding de honden moest ophitsen tegen de arme mensen? Maar was het niet prima om na school veilig daar boven op de wal te zitten met onder je het dorp en de stad en de boze blikken en boze woorden en het gefluister en het gekoekeloer ook van de besten en verstandigsten? Ach god, je zou je vandaag de dag nog schamen dat je zo vaak, eigenlijk dagelijks, vanuit de laatste verschansing je tong moest uitsteken en met stenen gooien en de honden moest ophitsen! Heinrich heeft net verteld hoe mijn vader zaliger achter hem stond en geen woord zei, grote god, zo stond hij ook altijd achter *mij*, zolang als ik mij kan heugen en bedenken. Ik kwam er ook pas langzaam achter waarom hij zo woest op iedereen was en alleen maar af en toe aardig met een advocaat die hem naar de mond had gepraat. Het is erg om als kind van kinderen te moeten ervaren dat je gedoemd bent om alleen te zijn op Gods bloeiende akker! En of ik ook duizend keer zei en huilde en schreeuwde: 'leugenaars!', ze maakten toch achter de rug van de meester om steeds weer dezelfde gebaren van dat je iemand een strop om zijn nek legt of uithaalt met een bijl voor de slacht. Als mijn vader me dan over mijn haren streek als we op een winteravond zonder één woord samen waren, hij in een hoek en ik in een hoek en hij dan ook nog zei: "Ik kan je niet helpen, muis, ga naar bed en ga slapen, ik kom kijken of je niks meer van jezelf weet!" Ja, dan was dat een troost waarvan het hart me in de keel schoot. Een enkele keer ben ik laat in de nacht weer uit bed gekropen en op blote voeten naar de kamerdeur geslopen en zag hem dan nog zitten zonder dat hij sliep. Ach

Eduard, er hebben denk ik weinig mensen zo weinig geslapen als mijn arme vader zaliger! En dan de dienstbodes — de knechten en de meiden; o het scheelde maar een haartje of ik was werkelijk slecht geworden en misschien echt overgegaan tot moord en doodslag! Ze brachten me elk orgelliedje en alles wat er van dat spul op de kermis te koop was en zongen het en floten het. En als ze er met elkaar over praatten en alleen maar mijn kant op keken, dan was het nog erger. Op elk groen weilandje, waar andere kinderen bloemen mogen plukken of paardenbloemslingers vlechten, werd er een galg voor me gebouwd; en midden onder de aardbeien en bosbessen en frambozen in het bos een schavot. De herder en de ploegknecht op het veld, de vrouwen en de meisjes bij het bieten oogsten en aardappels rooien hadden allemaal hun verhaal voor me klaar en gaven het me mee naar huis, naar de wal van mijn vaders schans, en 's nachts onder het dekbed dat ik nog in de warmste zomer vaak over me heen trok, op het gevaar af daaronder van pure ellende te stikken. O, hoe vaak ben ik niet 's nachts met al mijn kleren nog aan in bed gestapt, omdat ik, heus niet alleen bij een winterse storm, maar ook bij een zomerse maneschijn, doodsbang was mijn schoenen en rokken uit te trekken.'

'Ach, jij arme stakker,' mompelde ik onwillekeurig.

'Inderdaad, jij arme stakker, Eduard,' bromde Oliebol. 'Ik arme stakker heb me natuurlijk in *mijn* jeugd zo zielig kunnen voordoen als ik maar wilde; dat maakte op niemand een noemenswaardige indruk. "Die bengel wordt met de dag stuurser!" was het enige wat *ik* te horen kreeg.'

Tegelijk begon er in de ogen van de dikzak iets te twinkelen en hij klopte me even op mijn knie en vroeg: 'Was het niet hoog tijd dat ik me ermee bemoeide? Was het niet het beste wat we konden doen, onze ellende op één hoop gooien en onze narigheid in één pot bij het vuur zetten? En is het resultaat niet heugelijk?

Heb ik die magere wilde kat van Quakatzburg niet mooi en rond en patent en pront bijgevoerd en haar knus met het doodgewone en daarom des te comfortabeler breiwerkje op de behaaglijke sofa geïnstalleerd? Echt, je zou onze Minnie nu eens bij winterse storm en zomerse maneschijn in haar hoekje moeten horen spinnen en snorren!'

'Ik was aan het woord, Heinrich!' zei het lieve mens met een glimlach.

'Dat is zo. Dat ben je altijd. En altijd het laatste woord. Ik zal het je niet afpakken, ik wou alleen maar zeggen dat we vandaag de dag niet langer elke avond het zwartboek van grote en kleine vergrijpen gaan uitspellen, Tientje. Namelijk, Eduard, tegenwoordig komt ze me hoogstens met het kookboek van mevrouw Davidis in haar hand even storen bij mijn overpeinzingen en paleontologische gestudeer door likkebaardend en nieuwe triomfen voorproevend te vragen: "Zeg eens, manlief, zullen we ons eens aan dit recept wagen? Ik, beste Eduard, heb ook bij zo'n impasse maar één antwoord: "Die niet waagt, die niet wint. Kom uit de ark!"'

Valentine was zo verstandig om haar fijnproever met zijn beroemde kookboek als lucht te behandelen en vervolgde, met het recht aan haar zijde, tegen mij haar relaas. Godzijdank, echt als vanaf de canapé, zij het met soms even iets flikkerends in haar ogen en iets wegslikkend in haar keel, als een kind dat zijn verdriet van weleer inruilt voor het blije heden.

'Ja, het was erg. En het was de hoogste tijd, zowel voor mijn vader als voor mij, dat we eindelijk een kameraad kregen, iemand die ongehinderd over onze damweg kon binnenkomen zonder dat onze honden hem naar de keel sprongen om hem met hun gehuil ons huiselijk geluk tegemoet te blaffen. In het begin kon ik natuurlijk niet weten dat hij ook voor mijn vader wat kon doen. Eerst had hij het immers alleen voor mij opgenomen tegen de dorpskinderen en zich een bloedneus laten slaan. Toen had ik hem dan ook alleen maar voor mezelf tussen de honden door naar de put geloodst, zodat hij zich tenminste een beetje kon wassen. Maar het bleek een zegen voor vader en kind, voor de Rode Schans, dat het daarmee niet afgelopen was godzijdank, nietwaar, Heinrich?'

Dat laatste had ze niet moeten zeggen. Daar had ze haar dikke heer en hoofd weer volledig het heft in handen gegeven. Gelukkig had hij net ietwat verstrooid de wolken na zitten kijken vanuit zijn pijp naar de bomen en hij bromde slechts: 'Je hebt altijd gelijk, vrouwlief! Wat was ook weer uiteindelijk — waar was je gebleven? Ach ja! En, Eduard, begint het je langzaam te dagen dat wij drieën, vader Quakatz, zijn Tientje en de luie Schaumann uit de stad, hier — hier geen vierde man bij ons konden gebruiken?'

'Nee, die hadden we toen niet nodig!' riep mevrouw Valentine Schaumann, zonder mijn mening daarover af te wachten. 'Als Onze-Lieve-Heer mijn vader er maar één gaf, dan was dat meer dan genoeg! Maar die ene moest dan ook aan al het andere lak hebben: alleen niet aan ons en de Rode Schans! Die moest dol zijn op alles wat boer Quakatz en zijn kleine meisje konden geven, zonder angst of walging te voelen voor de moord- en kadaverlucht die daaraan hing. En, Eduard, daar kwam bij, daar kwam bij dat die stadsjongen die mij tegen de dorpsjongens en -meisjes in bescherming had genomen, daarginds onder de heg van de meent heeft gelegen! En verder had ie ook genoeg Latijn om mijn vader zijn dossier te vertalen, toen ie zelfs zijn advocaat niet meer vertrouwde. Eduard, let u nu alstublieft even niet op mijn man! Misschien dat hij daarna tot hij hier met u als aankomend student stond om afscheid te nemen, op school nog het een en ander heeft bijgeleerd — dat kan ik niet beoordelen, maar voor de Rode Schans bracht hij indertijd alle nodige kennis mee. Hij bracht niet alleen de honden tot bedaren, hij bezorgde ook mijn vader kalmere uren.'

'Hoor het haar zeggen, Eduard! Jaja, ze heeft gelijk: de pienteren hebben waarachtig lang niet zoveel behaaglijkheid op de wereld gebracht en zoveel mensen gelukkig gemaakt als de eenvoudigen van geest.'

'Zo is het maar net, Heinrich! Mijn vader zaliger vond dat althans ook. "Tientje," zei hij, "ik heb er niets op tegen dat die dikke stille jongen contact met ons heeft gezocht. Als jij met hem uit de voeten kunt, dan is het voor mij in orde. Mij stoort hij niet, en dan hebben we hier toch maar mooi iemand zitten die niet bij de anderen hoort."'

'Dat was een grootse uitspraak van je overleden papa, mevrouw Valentine Oliebol!' was het grijnzende commentaar van Heinrich Schaumann.

'Het was gewoon de uitspraak van een man die zijn hoofd en zijn hart sinds jaren en jaren en jaren met beide handen had moeten vasthouden om te voorkomen dat ze van woede, angst, verbittering en schaamte uit elkaar zouden spatten. Als er toen iemand niet bij de anderen hoorde, vriend Eduard, dan was het wel mijn man. En dat niet omdat hij nou zoiets uitzonderlijks had gehad, maar misschien juist omdat hij dat *niet* had en hij ook alle verdachtmakerij en intimidatie waar wij aan blootgesteld waren niet als iets uitzonderlijks beschouwde, maar met ons van begin af aan omging als met doodgewone andere mensen!' —

Valentine was zich natuurlijk helemaal niet bewust van de wonderschone pluim die ze mijn vriend daarmee gaf en hoezeer ze mij op grote de hoop veegde van het soort mensen van twaalf in een dozijn, dat er botweg op uit trekt en desnoods naar Afrika doorstormt om er zijn triviale avonturiersbehoeftes te bevredigen. Mijn dikste vriend grijnsde alleen maar, maar begreep drommels goed waar het om ging.

De vrouw vervolgde: 'Hij zat met mijn vader in de kamer en hij lag met mij op onze wal tegen de hele mensheid onder de struik. Ja, tegen de mensheid, vriend Eduard; want nu gooiden ze met hun stenen ook naar hem over de vestinggracht, maar niet lang. Uw jonge collega's en klasgenoten hebben toch niet helemaal geweten wat voor man hij toen was —'

'Vrouwlief!' lachte Oliebol.

'Ach ja, ik druk me natuurlijk weer verkeerd uit. Welnu: ze beseften niet echt goed wat er allemaal in je zat, Heinrich, en wat je allemaal kon doen en zeggen als je een aardkluit die eigenlijk bedoeld was voor de moordenaar van Kienbaum, naar je kop kreeg. O Eduard, uw vroegere schoolvriend kon zich toen in de eerste grote vakantie al beschouwen als heer en meester van de Rode Schans. Hij had die, ook voor mij, op een grote vijand veroverd; en toen ik dus niet meer zo bang voor de anderen hoefde te zijn, lag ik me soms geweldig op te winden en vroeg me af waarom ik dat van hem accepteerde! Want, Eduard, voor een ridder behandelde hij me eigenlijk helemaal niet goed. 'Domme gans' was nog de vriendelijkste eretitel waarmee hij mij vereerde. En wee je gebeente als ik liet merken dat ook ik de nodige troetelnaampjes paraat had door mijn omgang en strijd met de andere kinderen! En als ik me door middel van mijn tranen te weer stelde, dan was het nog erger. Dan zei hij hoogstens: "Ze heeft het beste plekje in heel Duitsland en nog zit ze te pruilen! Meisje, zit jij eerst maar eens een keer op mijn —"'

'Zitvlak,' adviseerde vriend Heinrich.

'— plaats op school,' vervolgde Tine, aan een minder expliciete aanduiding de voorkeur gevend. 'Toegegeven, het was bij hem thuis en bij hem op school ook niet allemaal rozengeur en maneschijn. Welnu, op de Rode Schans zat hij met zijn zonden even hoog en droog als ik. Bij moordenaarsboer Quakatz werd hij nergens op aangekeken, integendeel! Dat was juist waarom ik vond dat hij zo goed bij mij en m'n vader zaliger paste, omdat hij ook regelmatig iets op zijn geweten had en nog met de tranensporen op zijn wangen bij ons kwam aankloppen en ongestoord vanaf de schanswal op de hele stad en de hele school daarbeneden kon gaan zitten mopperen, brommen en schelden. En lui dat hij in die tijd geweest moet zijn, vreselijk, Eduard!'

'Mijn huidige rooskleurige bestaansvoorwaarden respecteert ze gelukkig wel, Eduard. Maar ze is toch ook wel een beetje geïmponeerd door mijn petrefacten en de geleerde correspondentie die zich daarbij ontspint. Je kunt je vrouw nog eens het een en ander onder de neus houden als je lid bent van een hele rits paleontologische genootschappen. En één ding staat haar nog te wachten: ze kan er zeker van zijn dat mijn artikel over de mammoet in relatie tot de Rode Schans, de prins Xaver van Saksen en de boer Andreas Quakatz plus uitvoerige appendix over de megatherium aan haar zal worden opgedragen. Wie weet of die reuzenluiaard haar niet toch nog de krans der onsterfelijkheid op de boerinnenmuts — op de lokken wou ik zeggen — drukt?'

'Godbeware, nee!' lachte Valentine, maar ze voegde eraan toe: 'O god, waar houdt hij mij en ons mee bezig met die manier van doen? Hij wéét nota bene wie Kienbaum heeft doodgeslagen, en ik zit erbij en flap er maar wat uit, alleen omdat hij dat per se wil. Ach, mijn arme, arme vader! En als hij, mijn man dan, met zijn mouw stof en nattigheid door elkaar had gewreven —'

'Vuil en tranen zul je bedoelen, liefje.'

'Precies, en met de mouw van zijn jasje! En als hij dan af en toe nog met zijn hand naar zijn rug greep en tussen zijn schouderbladen wreef, dan zei mijn vader zaliger: "Smeer in de keuken eerst maar eens een flinke snee brood voor hem en geef hem er een flinke plak worst bij. Die heeft ook het nodige te verduren gekregen en weet in zijn jonge jaren al hoe het toegaat in de wereld."

Nou, dat deed ik dan ook, en dan gingen we naar de kazen, de kruisbessen, de peren, appels en pruimen en wat het jaargetij hem en mij verder nog ter troost te bieden had. Ja, vriend Eduard, in dat opzicht was de Rode Schans door de Saksische prins voor hem op maat gemaakt. O, en wat hij niet allemaal via zijn meneer Schwartner daarvan af wist! Ach god, zoals ik ze daar nog zie zitten, hij en mijn arme vader, hoe ze samen zaten te smullen van de Zevenjarige Oorlog en dat het zo jammer was dat de arme stad daarbeneden bij die gelegenheid niet aan puin geschoten was!'

'Het woord smullen heeft ze van mij, Eduard,' gniffelde Oliebol; maar Valentine glimlachte en verzuchtte verder: 'Ik hield hem toen al voor de geleerdste en wijste man van de wereld. Maar om hem dat toen al aan zijn neus te hangen, dat kon toch niemand van me verwachten; want daar was hij toch nog te dom voor, en ik opgegroeid met te veel wildheid en woede in mijn lijf. Er waren zoveel dingen die ik van hem leerde, zonder dat ik het hem liet merken, zoveel waarvan ik door hem de smaak te pakken kreeg —'

'Het woord smaak heeft ze van mij, Eduard.'

'En zo kwam hij met mijn vader tot de conclusie dat er geen haan meer kraaide naar die hooggeroemde prins van Saksen en zijn moorddadige oorlog en dat er ook naar de geachte leraar Klinkhamer en naar ons hier en — en — en naar Kienbaum ooit geen haan meer zou kraaien, geen hond meer zou blaffen en geen mens meer zijn neus zou ophalen, en dat het enige wat telt op aarde het goede geweten is en de zelfvoldaanheid.'

'Zelfvoldaanheid heeft ze van mij.'

'Natuurlijk! Alles heb ik van jou!' riep Valentine, nu werkelijk ietwat trillerig, opgewonden, geërgerd. 'Nou, dan heb ik toch nog als troost dat je me tenminste het goede geweten nog als mijn eigenste eigendom gunt! En als ik dan ook al de zelfvoldaanheid van jou heb, dan moet er toch op zijn minst ook wel iets daarvan in mezelf hebben gezeten en heb je alleen maar —'

'De geest uit de fles gelaten. Daar heeft ze gelijk in, Eduard. Ik kan je verzekeren, Eduard, je hebt er wat dat betreft geen idee van wat en hoeveel er bij haar allemaal borrelde en gistte en erop zat te wachten tot ik langskwam met de kurkentrekker. Ach, mijn lieve, lieve allerliefste: hoe hadden wij tweeën anders zo goed bij elkaar gepast? O, Tine, Tine — jij en ik, Gods schone gruzelementen, zeg op, waren wij niet van begin af aan voor elkaar bestemd en blijven we niet tot het uiterste einde aan toe bij elkaar? Jij, Eduard, uit het uiterste einde van Afrika, zeg op, Eduard, wat is jouw mening hierover?'

Jaren geleden had ik de andere kant op gekeken; dit keer registreerde ik nauwkeurig hoe die twee de arm om elkaars schouder legden en zich tegen elkaar aan drukten en elkaar een klinkende kus gaven. Ze geneerden zich deze keer helemaal niet meer voor mij; maar Heinrich had nu natuurlijk wel al een kale knikker, en in Valentines haar mengde zich her en der een voortijdig zilveren draadje; maar mooi was het toch, en het deed ook helemaal geen afbreuk aan de zaak dat Oliebol een beetje vet was en zijn kleine, goede dappere vrouw geen enkele gelijkenis vertoonde met de Venus van Milo.

'Ik zeg u, lieve vriend Eduard,' zei Valentine, onbevangen haar mutsje weer schikkend, 'als ik me nu als volwassen, oude vrouw weer verplaats in mijn toestand als Quakatzmeisje van de Rode Schans en erover nadenk hoe het is gekomen en hoe de voorzienigheid het heeft aangepakt dat ik door kennis te krijgen aan Heinrich van verwilderd dier tot rust en menselijkheid kwam, dan laat ik niemand mijn geloof in Onze-Lieve-Heer uit de bijbel en het gezangboek wegschrappen, zelfs mijn lieve man niet, met al zijn botten en versteningen en zijn brieven en drukwerk van geleerde genootschappen. En ook al gelooft hij duizend keer niet meer in een wonder en een hogere beschikking, in een beetje wonder moet hij met al zijn wetenschappelijke betweterij toch berusten. Want dat zo'n jongen zo'n zegenrijke invloed op een vrouw kan hebben, om van mijn arme vader zaliger maar niet te spreken, dat is toch niet een beetje wonder, dat is een compleet, een dubbel en dwars wonder! U hebt toch gelezen wat hij boven onze huisdeur heeft geschreven: Ga uit de ark. Dat is eigenlijk flauwe onzin; want dat slaat helemaal niet op ons hier. Ik heb er het boek Mozes op nagelezen; het slaat alleen op de ark van Noach en vader Noach en eventueel nog zijn familie en zijn veestapel. Dat was toen ook helemaal Heinrichs leus nog niet. Misschien kunt u zich nog herinneren wat toen zijn eeuwige troost was, Eduard?'

Helaas wist ik dat niet meer, en Oliebol keek me alleen verwachtingsvol grijnzend aan en hielp me niet op weg. Wanneer ik hem in onze schooldagen 'op weg' moest helpen, dan grijnsde hij niet; dan zag hij er heel anders uit dan nu. 'Nou, Eduard?' Daar moest ik het maar mee doen. '"Slikken en doorbijten!" was toen zijn leus,' zei Valentine en liet het qua toon en intonatie in het midden of ze het daar vandaag de dag nog steeds roerend mee eens was. Maar nu nam Oliebol weer het woord en verzuchtte zacht en weemoedig, maar niettemin vol welbehagen: 'En wat mij betreft kunnen jullie dat met gouden letters op mijn grafsteen laten beitelen. Natuurlijk zonder iemand de mogelijkheid te willen ontnemen een nog betere spreuk te vinden.'

'Ach, god,' verzuchtte zijn vrouw, 'destijds voegde hij er gewoonlijk nog aan toe: "Er is geen andere spreuk om mee door het leven te komen, Tientje!"'

'Vind je ook niet dat alle andere epitafen min of meer boerenbedrog zijn, Eduard? Of heb je in dat opzicht werkelijk een paar nieuwe ervaringen opgedaan bij je oude oom Cetewayo? Nou, zeg op: wat hebben jullie op het heldengraf van die brave Zoeloevorst gezet, na alles wat hij tijdens zijn trotse koningschap te slikken en te verbijten heeft gekregen dankzij jullie Engelse, Hollandse en Duitse Boeren? Maar neem me niet kwalijk, schatje, ik bedoel jou, madame Oliebol, we zijn nog altijd bij jouw idylle en niet bij die van onze gewaardeerde Afrikaanse vriend die hier te gast is.'

Valentine wierp me een blik toe die weer alleen maar kon betekenen: het is vechten tegen de bierkaai! Er was tegen die man gewoonweg niet op te vertellen. Ze staakte haar poging, nam haar breiwerk op en liet haar dikzak weer over aan zijn redenaarstalent en, zoals ze zich uitdrukte, zijn betere inzicht. Dat ze hoopte op die manier toch nog iets sneller te ervaren wie Kienbaum had doodgeslagen en de levenslange ellende van haar vader op zijn geweten had, droeg er waarschijnlijk toe bij dat ze nu een houding aannam alsof ze alleen nog maar rustig verder wilde breien.

'Wat ik tegen haar zei, als de wereld haar weer eens een abnormaal vileine kat had gegeven of (wat ook voorkwam) zij op haar beurt de kat uithing en met uitgestrekte klauwen blazend de barbaarse wereld belaagde (let à propos ook even op het effect van de onopzettelijke zoetvloeiende alliteratie, Eduard!), wat ik tegen haar zei was: "Schat, mij moet je niet bijten! Maar — slikken en doorbijten, meisje, dát is het devies en daarbij help ik je graag, zo waarlijk helpe mij God almachtig!" Met die kernachtige uitspraak en raadgeving sloeg ik haar aan de haak en heb ik haar en de Rode Schans, inclusief papa Quakatz, stukje bij beetje weten in te palmen. We slikten samen en beten samen door, wij arme sukkels. Voor alles waarmee ik van mijn kant daarbeneden in de stad en bij jullie op school niet voor de dag kon komen, kreeg ik hierboven alle ruimte. Hier kon het epische en lyrische potentieel dat er schuilde in mijn gemoedelijke spek (jullie woorden!) tot ontwikkeling komen. Wat ik aan drama in me had stopte ik natuurlijk onzichtbaar weg in wat jullie als mijn pens plachten te betitelen. Daarvoor zijn te veel capriolen, fratsen en frasen nodig, en het is godzijdank altijd nog her en der gepermitteerd om ore rotundo het servet onder je kin te binden of (om me maar eens goed-teutoons uit te drukken) boven zijn *sesquipedalia* de handen ineen te vouwen en de duimen te draaien. Je denkt toch niet dat ik hier vandaag bij Tientje, dit Quakatje hier, zo zou zitten als ik nu zit, als ik indertijd de Rode Schans ook nog met theatrale middelen had benaderd? Reken maar van niet, Eduard! Deze krijgsheuvel van de graaf van de Lausitz hier, dit of deze strategische punt achter het gebod "kinderen, hebt elkaar lief!" was alleen door lyriek en epiek te veroveren, en dat heb ik dan ook gedaan! Wat jij, Tientje Quakatz? Ik moet het steeds maar weer opnieuw herhalen, Eduard; jullie hebben me miskend; jullie waren, om het maar eerlijk te zeggen, te dom om de schatten die diep in mijn binnenste sluimerden op te delven. Er was een slim klein meisje voor nodig om dat alles naar boven te halen. Wat jouw persoon betreft, Eduard, jij was hoogstens met je vriend Störzer aan de wandel om met behulp van Levaillants relaas over wilde ezels, giraffen, olifanten, neushoorns, frisgewassen Namaquameisjes en via de historie van de braafste aller brave Hottentotten Swanepoel jezelf voor te bereiden op je Kafferse El Dorado. De rechtschapen Kaapse boer Klaas Baster zul je waarschijnlijk ondertussen ook zijn tegengekomen en in sentimentele Afrikaanse buien aan het hart gedrukt hebben; maar de rechtschapen Heinrich Schaumann heb je in die tijd ook niet gevonden, maar hem, net zoals de rest van jullie, als Oliebol onder de heg laten liggen. Sorry voor de uitwijding: pas bij boer Quakatz en zijn verwilderde, verloederde katje kwam de toverharp tot klinken, daar grepen de geesten van de Rode Schans in de snaren en ontlokten daaraan de klanken die op jullie uit de culturele menagerie van het Koninklijke Gymnasium elke middag om vier uur losgelaten Europese getemde ezels, apen en rinocerossen, de indruk van pure onnozelheid maakten, zoals mij dat letterlijk te verstaan werd gegeven. O, Eduard, als ik vandaag, nu, eindelijk eens het genot kon smaken voor mezelf enige theatrale belangstelling op te brengen! Maar daarvan is zelfs vandaag, vandaag, nu je weer hier bent, geen sprake! Ik krijg het niet voor elkaar, en dus blijf ik zonder arm- en beengewapper zitten waar ik zit: op de Rode Schans. Trek maar niet zo'n gezicht, Tientje; ik verlies je niet uit het oog. Dat weet je toch: wat ik ook voor rare dingen zeg, ik blijf altijd bij jou. Ja, stil maar, stil maar; geen kind hangt zo krampachtig aan moeders rok als ik aan jouw schort en dan met name — Eduard die vandaag bij ons gegeten heeft zal het bij uitzondering met me eens zijn —, met name zei ik, aan je keukenschort! Ja, beste Eduard, geen hoekje in huis, geen plekje in de tuin, geen muurtje, geen bank, geen struik of boom die niet langzaam gloort in het milde licht van Robinson Crusoe, van Ferdinand Freiligrath, de gebroeders Grimm, Hans Christian Andersen en de oude Musäus. Ik was dik en lui, maar niettemin en ondanks jullie allemaal en nog voordat ik de pessimistische wijsgeer van Frankforts beste table d'hote had leren kennen, een eersterangs dichter: met abstracte begrippen kon ik niks beginnen. Onder mijn heg, met de warme zon van het bestaan op mijn buik, was ik uitsluitend op het aanschouwelijke aangewezen! De een trok de ander in zijn sferen, in zijn sfeer, beter gezegd, Tientje mij, ik Tientje. Maar op de dag toen ook papa Quakatz achter mij voor het eerst vroeg: "Hoe ging dat verhaal, jongen?" daar had ik ook hem aan de haak. Weet je nog wel, Valentine? Het was het sprookje van de twee kogelronde molenaars dat zijn belangstelling opwekte. Ja, zover had de wereld het met hem en de moord op Kienbaum laten komen, dat hij ook graag zo'n molenaar was geworden en zich zo had gewapend. Een wambuis met kalk en zand en voor het verband gevoerd met gesmolten pek, van voren en achteren met keukenblik en pannendeksels gepantserd, daar onder drie of vier hemden, eroverheen negen loden mantels; voor verdediging en aanval twee spiesen, een kruisboog, een manshoog tweehandig slagzwaard en voor op afstand een handboog met pijlenkoker!'

'Jaja,' zuchtte Valentine, 'en tot slot een huis in de woestijn aan het verste eind van de wereld! Ach ja, en als hij niet gestorven was, dan leefde hij vandaag nog, zoals aan het eind van ieder sprookje. Arme, arme, lieve vader! En die had het zeker niet verdragen dat je ons er zo lang op laat wachten wie in zijn plaats die Kienbaum heeft doodgeslagen, waar hij, die arme, arme man, zijn leven lang onschuldig voor heeft moeten boeten!'

Op dat moment werd de vrouw weggeroepen en Oliebol gebruikte de gelegenheid om me toe te fluisteren: 'Hopelijk zijn we nu vijf minuten van haar verlost. Over papa spreek ik onder ons gezegd en gezwegen het liefste achter haar rug, als ik al over hem moet spreken. En ze houdt er ook eigenlijk niet zo van als ik op gehoorsafstand echt eens oprecht mijn intiemste mening over hem wil aanstippen.'

Mooi weer op zee! Hoe zou ik mijn garen dan ook zo hebben kunnen uitspinnen, als het anders was geweest? Alcyonische dagen hebben ons een week lang over de grote zee begeleid. Tengevolge daarvan aangename stemming op het schip en weinig last van die 'vreemde heer in de rooksalon die al sinds Hamburg ononderbroken boven zijn kasboek zit te dubben en daar waarschijnlijk nog tot sint-juttemis mee bezig is.'

Die lui hebben natuurlijk groot gelijk met hun verwondering, hun hoofdschuddende glimlachjes en conspiratieve gefluister. De Hagebucher is een prima schip, maar die rare kerel! Die bovendien (nog raarder!) opnieuw een poging doet de oceaan met een vingerhoedje leeg te scheppen! —

Maar wat zouden die heren en dames, die zelfs een aantal keren probeerden tijdens een vriendelijk schouderklopje een steelse blik op mijn 'zonderlinge schrijverij' te werpen, wel zeggen, als ze daarbij succes hadden gehad?

Waarschijnlijk niet veel meer dan: 'Nou, dat had hij net zo makkelijk thuis kunnen doen.'

Maar daarin zouden ze zich toch ook weer vergissen. Ik had dat niet net zo gemakkelijk thuis kunnen doen, en juist daarom schreef ik het aan boord allemaal op, om het later op een eventueel wat rustiger moment in mijn jachtige bestaan makkelijk bij de hand te hebben.

Zijn stoel wat dichterbij schuivend zei Oliebol, terwijl hij nog eens een voorzichtige blik naar het huis zond: '*Evasit* — ze trippelde weg. Echt, Eduard, als de wereld ooit ergens het recht had een bultnekkige, norse, weerzinwekkende kerel, kortom een onaangenaam persoon met een dikke, de bovenlip naar binnen zuigende onderlip en Maleise vetknobbels achter zijn oren, tot een moord als minste van alle misdrijven in staat te achten, dan in het geval van mijn betreurde schoonvader, God hebbe zijn ziel! In wezen was het een afschuwelijke kerel, waar nog jouw kwaadaardigste, ergste Kaffer niet aan zou kunnen tippen. Een wantrouwende, kankerende, op zijn have en goed hokkende boerenhufter van het pissigste soort! Of hij Kienbaum heeft doodgeslagen, die oude Quakatz, dat krijg je later nog wel te horen, maar dat ik hém niet al drie of dertig keer heb doodgeslagen, dat was geen kleinigheid, dat geef ik je op een briefje. Er was echt een temperament, of zo je wilt een gemoed als het mijne voor nodig om door te dringen tot de kern van Gods dermate jammerlijk mislukte evenbeeld. En zoals je weet, Eduard, wie de zoete kern wil smaken, is verplicht de noot te kraken. Vanwege die zoete kern heb ik dan ook boer Quakatz en de Rode Schans gekraakt. Echter niet eerder dan nadat ik die harde noot langdurig van mijn ene wang naar de andere heb laten verhuizen en er al mijn kiezen en alle kracht van mijn onderkaak op heb moeten beproeven. Of hij vanwege Kienbaum de strop had moeten krijgen, zullen we nog maar even in het midden laten. Maar om een hoop andere redenen had hij zoniet de strop dan toch zonder meer een pak rammel verdiend. Vooral vanwege Tientje. Ze maakt altijd dat ze wordt weggeroepen zodra ik over hem kom te spreken. De piëteit kun je er bij dat dwaze vrouwvolk met geen mogelijkheid uitranselen; en (om daar even op door te gaan) hoe ergerlijk dat vaak ook is, we stellen onszelf en anderen toch maar hoogstzelden de vraag waar die goed voor is. Goed — dat wil zeggen: grote god ja, de wereld was slecht voor het kind van de Rode Schans, maar nog lang niet zo slecht als haar papa, de boer van de Rode Schans, haar behandelde. Die was daarin de onbetwiste kampioen. De school was erg, en mijn geachte ouders ook niet bepaald van het beminnelijkste soort; maar me zo terroriseren als de oude Quakatz zijn kleine meisje, dat deden ze toch niet. Uit het alleronderste laatje van zijn verstokte ziel haalde hij zijn zuur om haar het leven te vergallen; en voor mijn part kon hij evenzogoed duizend keer Kienbaum hebben doodgeslagen en het voor de mensheid, inclusief haar laatste oordeel hebben geloochend, maar zó — op die manier had hij zijn eigen ellende niet op zijn eigen vlees en bloed hoeven af te wentelen! Ontken het maar niet, Eduard: jullie hebben mij indertijd af en toe niet alleen ingeschat als lui maar ook als laf, en dat zeer ten onrechte. Jullie hazen, met een heldendom dat niet veel meer voorstelde dan af en toe een scheur in je broek, een stevig pak slaag of een paar uurtjes eenzame opsluiting! Had de Rode Schans maar eens veroverd! Dat was nog eens een historische prestatie geweest, waarmee jullie voeding hadden gegeven aan de behoefte aan een nieuwe Plutarchus. En dan die leraar Klinkhamer, als die weer eens een keer met zijn pook in mijn hoofd naar de uil van Minerva had zitten porren en opnieuw tot de overtuiging was gekomen dat daar zojuist wel een uil, maar helaas niet die van Minerva had gezeten! Was die brave man — God moge al Zijn beloftes aan hem vervullen en hem onder Zijn bevleugeldste engelen rangschikken! —, was die oude ciceroniaanse Cochinkrielknorhaan soms in staat mijn leven naar waarde te schatten? Niet dus, *con grande passione* en rechtstreeks vanuit de herinnering gesproken. Maar ik dwaal af — de warme dag opent zo plezierig alle poriën van lijf en ziel! Waar was ik in hoofdzaak ook alweer gebleven? O ja, natuurlijk, nog steeds bij vader Quakatz. Lieve hemel, waar in godsnaam hebben wij, ik en Tientje, ons voor hém niet overal onzichtbaar gemaakt? Hoe en waar hebben we ons hier onder bescherming Sancti Xaverii, comitis Lusatiae, voor zijn redeloosheid moeten verschuilen, nadat ik al zoveel moeite gedaan had hem tot rede te brengen en daar ook al een eind in was gevorderd?! In de duiventil, in de varkensstal, op de hooizolder, in de muurkast, achter en onder het bed. Geen plek waar hij niet met stok en zweep in de aanslag naar zijn kind heeft gezocht! Jullie waren zo heldhaftig buiten op het veld indiaantje aan het spelen en imiteerden dom en fantasieloos genoeg jullie Fenimore Cooper, maar ik beschermde Cora en verborg Alice in de werkelijkheid van het dagelijkse leven, misschien niet in een rotshol, maar wel achter de keukenkast en liet met de meest stiekeme en wellustige huivering de waanzinnige woedende Mingo naar zijn vuurwater zoeken en hoorde hem snuffelen en zijn krijgsgehuil aanheffen. Als Tientje dan fluisterde: 'Ik heb zijn jenever op de keukentafel gezet!' dan kan ik vandaag precies inschatten hoeveel meer ze naar Miss Cora zweemde dan naar Miss Alice. Toen wist ik dat nog niet zo precies en hield ik mezelf meer dan me toekwam voor de edele, door het oerwoud gelouterde Natty Bumppo. Maar het belangrijkste was natuurlijk dat de ouwe de fles vond. En als zijn 'oef!' daar blijk van gaf, waren we voor deze keer gered en de wereld en de Rode Schans was weer alleen van ons! Uit piëteit staat zijn leunstoel, zoals je bij het eten hebt gemerkt, nog steeds achter de kachel, en als ik er tegenwoordig in zit en bedenk hoe ik toen al de zaak Kienbaum tegen Quakatz vroegrijp bekeek en op z'n sagamoors tegen de uit zijn vuurwaterroes ontwakende arme kerel zei: "Meneer Quakatz" — — — O hemeltjelief, daar is ze alweer! Die gunt me ook geen minuut rust. Afijn, Eduard, de rest misschien maar bij zonsondergang.'

Daar was ze weer en wanneer ik haar weer aankeek, hoe ze vanuit huis dichterbij kwam, zich weer bij ons voegde en haar hand op de schouder van haar man legde, had ik hem die 'rest' graag brutaalweg cadeau gedaan. Het belangrijkste wist ik in elk geval.

De aangename namiddag was echter ongemerkt, wat natuurlijk geen wonder was, steeds verder naar de avond toe gekabbeld. Het was zelfs voor onze dikzak langzamerhand aangenaam koel geworden onder de lindeboom en hij kondigde aan zin te hebben 'even de benen te strekken'. Hij bood zijn vrouw zijn arm en bij dalende zon liepen we nu de vierhoek van de oude oorlogswal rond langs zijn buitenste rand. Oliebol natuurlijk zonder daarbij zijn lange pijp op te geven. 'Je ziet dat ik hier als een tweede gevangene van Chillon een pad heb platgetreden, maar ook her en der een bankje heb neergezet. Ook wie met weinig tevreden is, stelt niettemin prijs op zijn vergezicht; als hij tegelijk ook zijn gemak laat gelden, neem ik hem dat allerminst kwalijk, maar prijs ik hem. Je ziet, Eduard, ook hier ben ik altijd onder de heg gebleven.'

Dat was waar. De vier bankjes op de hoeken van de Rode Schans hadden elk een schaduwrijk struikgewas achter zich, en wat betreft het jeugdige genot onder de heg te liggen was dit een prima plek om — ernaar terug te dromen. Het pad was niet alleen platgetreden maar ook goed onderhouden: 'Ik pleeg hier ook 's winters mijn wereldje en dat van de anderen in het oog te houden,' zei Oliebol. — Het uitzicht op het noorden en zuiden, naar het oosten en het westen was grotendeels zo gebleven als in onze kindertijd. Daar lagen in de diepte nog steeds de stad, daar opzij het dorp Maiholzen, daar het bos, daar het open veld en daar de verre blauwe bergen. Behaaglijk sliepen daaronder Heinrich Schaumanns flora's en fauna's van alle wetenschappelijke aardbolperiodes, formaties en overgangsperiodes, inclusief de eveneens ingeslapen reuzenluiaard. Daarboven de late zomernamiddagzonneschijn. Alleen een of twee nieuwe spoorlijnen doorsneden nu de vlakte. En de trein die zojuist op een daarvan de stad had verlaten en met een lang uitgerekte witte locomotiefwolk naar de verte gleed, herinnerde me er op dit moment weer aan hoe weinig houvast en anker mij nog in mijn geboortestad en -streek restte.

Maar in plaats van met een verwijzing naar de nieuwe verkeersmiddelen te komen aanzetten trok Heinrich Schaumann merkwaardig genoeg zijn Tientje met nog grotere tederheid tegen zich aan en zei: 'Ja, nietwaar, moeke, ook de winter is hier mooi, het is niet slecht leven op de Quakatzburg en je wilt hier toch niet zo snel vandaan? Maar in feite kun je dat overal zo hebben, beste Eduard, die ik toch ook wel als baron, een Zuid-Afrikaanse zelfs, mag betitelen. Je moet alleen alle spookverschijningen die van rechts- en eeuwigheidswege aan iedere plek kleven, weten uit te bannen, dan zit je voor altijd gebakken. Een goede vrouw is daarbij echter onontbeerlijk. Ga jij hier maar eens met een kwaaie zitten, Eduard!'

'Maar een verstandige man die een beetje kierewiet is, hoort er toch ook bij,' zei Valentine met een zucht en een glimlach, en Oliebol sprak nadrukkelijk: 'Dat spreekt vanzelf!'

Even vanzelfsprekend waren we weer gaan zitten. Op een van de bankjes waar je de stad en dorp Maiholzen recht voor je had.

'Een rare snuiter, hoewel verre van kierewiet, kan een mens overal de zachtste zitplaats en het mooiste uitzicht en omgeving bederven,' vervolgde Heinrich. 'Jaja, onze goede vader zaliger! Weet je nog, Tientje, hoe die mij hier over de schans achternazat zoals de ontoerekeningsvatbare, kinderachtige woedende Achilles het enige nette fatsoenlijke personage in de hele Ilias? En weet je nog dat toen die affaire heel anders afliep dan voor Trojes muren bij Homerus' epos? Ik lichtte toen de onterechte achtervolger beentje en zo landde hij halsoverkop in de gracht van de prins Xaver van Saksen, en jij, Tientje, kon weer uit je schuilplaats in de kelder tevoorschijn komen en mij behulpzaam zijn de arme kerel vervolgens naar bed en tot bezinning te brengen.'

'Ach, mijn arme vadertje! Ach god, jaja! Maar, Heinrich, zo hebben we hier tot nu nog nooit met anderen over gesproken!'

'Ik dacht dat ik je er al op gewezen had, schat, dat we vandaag dan ook niet met anderen maar met een van ons te maken hebben. Deze man hier voelde immers al in zijn vroegste jeugd met me mee en ging als laatste weg, als de anderen me onder de heg lieten liggen. En als jongeman — nietwaar, Eduard, je wordt op discrete manier de laatste ontwikkeling deelachtig van datgene wat je jaren geleden, toen we al geen onschuldige kinderen meer waren, maar min of meer met schuld beladen jongelingen, hier, daarginds aan de overkant van de gracht uit het oog verloor?'

Ik knikte, niet naar de dikzak, maar in de richting van zijn vrouw, zoals je knikt wanneer je voor je diepste medeleven geen woorden hebt.

Valentine zei: 'Toen mijn man, Heinrich dus, naar de universiteit zou vertrekken en hij u, zijn vriend Eduard, op de laatste dag meebracht om daarginds op de meent afscheid te nemen, toen was er hier al veel veranderd, en voor zover dat ten goede was had hij, mijn man, Heinrich dus, daar een groot aandeel in. Zoals hij u dat op zijn eigen rare manier ook al heeft meegedeeld. In dat opzicht hoeft hij dan ook wat ons, de Rode Schans en mijn arme overleden vader betreft, niets te verzwijgen.'

'Ja, het is een fraaie streek zo in zomers gewaad, Eduard,' zuchtte Oliebol, met de steel van zijn pijp rondom naar de horizon wijzend, alsof hij me daar iets geheel nieuws liet zien. 'Maar mooi was ook de winternacht waarin ik hier op de Quakatzburg bij de verloren dochter als verloren zoon serieus tegen het raam tikte! Waar of niet, Tientje, Poekie?'

'Heinrich, Heinrich, het is dat het je boezemvriend is die jou hierover nu zo uitvoerig aan het woord laat en daarom wil ik niet op je andere eigenaardigheden ingaan, maar ik moet hem zeggen: nog in geen duizend jaar zal ik die nacht vergeten. Ja, vriend Eduard, het is zoals ie zegt. En hij is veel wijzer en geleerder dan hij zich voordoet, en tegenover mij doet hij ook alleen maar zo gek omdat hij weet dat wij van begin af aan bij elkaar horen en niet zonder elkaar kunnen leven. Gelooft u vooral niet al zijn vreemde uitspraken; hij laat zelfs op de ergste en beste ogenblikken die een mens op deze aarde kan beleven, niet het achterste van zijn tong zien. Ja, ja, ja, hij kwam precies op het goede moment. Mijn vader had voor de eerste keer een beroerte gehad en ik was inmiddels eenentwintig jaar en bazin op de Rode Schans. Ach, hemeltjelief, wat voor een bazin! En met wat voor een wereld op de boerderij en eromheen! Zijn grappen kon Heinrich daarbij natuurlijk ook niet voor zich houden. Maar ik heb in de encyclopedie opgezocht waarom hij me, toen ik in tranen zwom, keizerlijke hoogheid noemde. Hij vergeleek me met keizerin Maria Theresia en daar had hij ook geen ongelijk in.'

'*Moriamur pro rege nostro Maria Theresia*,' bromde Oliebol. 'Ze wil alleen het compliment nog eens horen waar jij bij bent, Eduard.'

'De dokter had me wel getroost dat vader voor deze keer nog geboft had, en hij was ook alweer uit bed en liep aan mijn arm met een stok, maar dat hij zijn gezonde mensenverstand weer helemaal terug zou krijgen, dat wou de dokter me niet beloven. Aldoor maar moest ik gissen wat hij dacht, voor alles wat hij wou zeggen moest ik de woorden vinden. En hij wou aldoor maar praten en mij zoveel vertellen en kon toch nooit meer op het goede woord komen. En van geen mens, ook als hij nog zo goed wist hoe die heette, kon hij zich de juiste naam herinneren. Dan bedacht hij ook zelf nieuwe namen, o hele vreselijke, voor ieder die hij kende!'

'Luister maar goed, Eduard!' riep Oliebol.

'Nee, doe dat maar liever niet, en laat me er zo kort mogelijk over zijn. Ach ja, en de knecht had me op die speciale middag weer eens zijn vuist onder de neus gehouden en de meid had me de pollepel voor mijn voeten gesmeten. Een van de honden had ik wel altijd bij me, om me daarmee in het ergste geval te weren; maar op die zondag hadden ze me ook gedreigd ze allemaal te vergiftigen. Echt waar, als ze dat hadden gedaan voordat Heinrich kwam, dan was ik op dat moment compleet verraden en verkocht en aan ze overgeleverd geweest.'

Het laat zich niet schilderen hoe rustig die vrouw dat alles nu vertelde: je kon er je ogen niet van afhouden. Oliebol stopte zijn pijp uit de varkensblaas die hij moeizaam en steunend uit de zak van zijn kamerjas opdiepte.

Valentine vertelde verder: 'Het was zondag en dansnacht in Maiholzen, de knecht en de meid waren er tegen mijn wil vandoor gegaan en in het dorp en op de dansvloer. Het was een barre winterdag geweest, en 's avonds werd het nog barder en er woedde een sneeuwstorm —'

'Bouw om ons een veilig muurtje,
vroom het oude vrouwtje zong,'

neuriede Oliebol, maar zijn vrouw riep: 'O nee, dat zong het oude vrouwtje helemaal niet. Ze moest al die tijd op haar vader inpraten in zijn leunstoel, want die was onrustiger dan ooit en steeds verwarder met zijn moordverhalen van hemzelf en anderen en zijn jurisprudentie en zijn terdoodveroordelingen. De naam Kienbaum, die kon hij altijd vinden die avond, die lag hem al die tijd voor op de tong. Kom nou, zingen — op die avond, Heinrich!? Bij iedere sneeuwvlaag tegen het raam en het huis en de gracht van de Rode Schans: Kienbaum! Kienbaum! Kienbaum! Ik, zingen? Zelfs niet van angst! Maar ik was maar al te graag dood geweest, vriend Eduard! En toen leek me dat haast een verlossing; echt, als er zo'n bende bij je inbrak en je arme, hulpeloze vader en jezelf, toch nergens goed voor, doodsloeg en alles meenam wat ik ze graag zou gunnen, alles, alles, en boven je hoofd het huis in brand stak en zo met één klap een eind maakte aan alle ellende, verlatenheid en schande! Zingen? Ach wat, luisteren aan het raam en tussen de stormvlagen door erop letten of het niet eindelijk als een genade van God gebeurt, of er zich niet eindelijk buiten zoiets laat horen! Maar het enige wat zich laat horen is, als gezegd, de wind en de vensterluiken en af en toe een staldeur die de knecht open heeft laten staan en die heen en weer klapperde. Verder nog in het huis allerlei spookgeluiden en de schreeuw van een uil in de gevel van de schuur. O, daar zo te zitten, en met je handen verkrampt tussen je knieën vader te horen mompelen over Kienbaum, galg en rad, tot de honden opeens allemaal tegelijk aansloegen alsof nu ook nog de Zevenjarige Oorlog op de Rode Schans opnieuw was uitgebroken!'

'Filosofie van de geschiedenis, Eduard!' bromde Heinrich. 'Ook de Oude Fritz had er geen idee van hoe dicht hij al bij de Hubertusburgse vrede was, toen keizerin Katharine zijn vriend Peter een kopje kleiner maakte en onder zijn neus haar kozakken terug commandeerde en uit zijn *ordre de bataille* wegnam. Er brak alleen de Hubertusburgse vrede aan voor de Rode Schans, Eduard.'

'Want zelfs vader, die zich anders over zoiets al lang niet meer opwond, schoot namelijk overeind uit zijn stoel en stond te trillen en jammerde zachtjes: "Daar komen ze!" En ik, die zulke taferelen al vaak genoeg bij elkaar had gefantaseerd: wat doe je, als het dan midden in de nacht een keer zover komt? — Ik pakte het hakmes dat ik altijd onder de commode klaar had liggen, stond gereed om toe te slaan en zei zo gelaten als ik maar kon: "Eentje op zijn minst gaat mee, als het dan zover moet komen." Maar godzijdank liep het anders.'

'Vanzelfsprekend!' bromde Heinrich.

'De honden die zich zojuist nog hun ziel uit hun lijf hadden geblaft, gaven opeens geen kik meer; en ik dacht meteen alweer dat ze vergiftigd waren, zonder me te realiseren dat het dan toch wel heel snel gewerkt moest hebben. Ik hield mijn oor tegen het vensterluik en het hakmes met het scherp op de vensterbank klaar voor de slag; en toen — en toen — en toen kreeg ik een halve hartverlamming!'

Hier bezorgde mijn gastheer van de Rode Schans mij iets dergelijks, toen hij ondanks zijn trage vet met jeugdig-fris elan inzette:

'Daaaarrr wordt aan de deur geklopt,
hard geklopt, zacht geklopt,
daar wordt aan de deur geklopt,
wie zou dat zijn?'

'Oliebol?'

'Ja, Oliebol!' zei Valentine glimlachend. 'Wilt u wel geloven, vriend Eduard, dat deze wonderlijke kwant zich in die nacht wis en waarachtig voor ons vensterluik met dat stomme lied kenbaar maakte, met natuurlijk om zich heen het liefdevolle gejank van het hele hondenvolk van de Rode Schans? Dat na de eerste blaf net zo stil en stomverbaasd was als ik na die eerste kinderachtige versjes! Maar het duurde toch nog een hele tijd voor ik zover van de schrik bekomen was dat ik voor die clown de huisdeur kon opendoen, ik —'

'Daar hoor je nou weer eens, Eduard, hoe zij sinds we elkaar kennen over haar door God toegewezen heer en huisbaas spreekt. Tientje, luister naar mijn raad en blameer niet onnodig jullie kunne hier in Europa. Bedenk dat deze man, deze Eduard, als getrouwd man uit Afrika komt, daar zijn de vrouwen uiterlijk misschien wel wat zwarter dan jullie, maar vanbinnen —'

'Natuurlijk zo blank als room. Dat weet ik wel, en als ik het niet weet, dan geloof ik je graag; maar laat mij nu ook eens uitpraten, beste Heinrich. Ik deed hem dus open en hij kwam binnen. Ja, vriend Eduard, en als door de voorzienigheid gestuurd net op het goede moment; want meteen daarna kwam de dronken knecht, die me eerst wou kussen en toen de keel dichtknijpen. En de meid die een omslagdoek van mij droeg, noemde mijn vader waar ik bij stond nog eens een oude moordenaar en zei dat hij zichzelf maar aan de spijker in de deur moest ophangen, nu hij de galg was ontlopen. Ze waren allebei erg vrolijk en jolig en hadden allebei geen idee wie er achter de kast stond en de hele scène kon horen en zien. Ja, hij verscheen op tijd vanachter de kast op het toneel: de heer en meester en de baas van de Rode Schans, mijn —'

'Lieve dikkerdje, Heinrich Schaumann, in volle en meest weldadige omvang en blijmoedig als altijd, maar ook met de in die situatie vereiste sterke vuist.'

'Jaja, en als er iemand die nacht de keel niet werd dichtgeknepen, dan was het de dochter van de Rode Schans! En degene die niet de meid haar veters hoefde te strikken, dat was eveneens de dochter van de Rode Schans.'

'En degene die even bedaard met de vuist op tafel sloeg, orde op zaken stelde en voor de oude man in zijn leunstoel diens kussen schikte en het jonge meisje met haar o zo bloeddorstige hakmes bij de heupen pakte en haar de voor deze nacht toegedachte kus op de mond drukte, met een smak die het hele stormgehuil buiten overstemde, dat was ik! Als het je verveelt, Eduard, zeg het dan! Wij tweeën van de Rode Schans kunnen op elk moment met onze onnozele praatjes ophouden en jou de gelegenheid geven ons die van jou te vertellen. Je hoeft je voor mijn vrouw niet extra beleefd voor te doen. Ik van mijn kant trouwens ook niet.'

'Die opmerking begint nu zo langzamerhand vervelend te worden, Schaumann.'

'Mooi!' zei Schaumann en opnieuw bleef hij gedurende lange tijd aan het woord. Ik legde alleen even weer mijn hand op die van Valentine, wat zoveel betekende als: 'Het is prachtig!'

'Het verhaal was doodsimpel,' zei Oliebol, 'doodsimpel zo: die wetenschappelijke brood-op-de-plankstudie daarginds was me slecht bekomen. Ik vermagerde meer dan goed voor me was. Niemand zal het willen geloven, maar toch is het de lachwekkende waarheid: ook de aangenaamste kant van het studentenleven was aan mij niet besteed. Zo'n Duitse alma mater is toch je reinste amazone. Ze houdt je de ene borst voor en je zuigt of zuipt eraan. Dan biedt ze je haar andere borst aan en dan blijk je inderdaad het bekende schaap op de dorre heide te zijn. Iedere blik in jullie rechtszalen, op jullie schoollessenaars en kerkkansels en in jullie parlementen en vooral in de Duitse Rijksdag laat zien wat dat oplevert, voor zover het onze leidinggevende heersende maatschappelijke klassen betreft. Sorry, Tientje, ik kom zo weer op jou terug, maar als je zo tegenover een oude, beminde, geleerde Afrikaan over zijn studentenleven komt te spreken, dan stroomt het hart over van vreugde, zoals dat heet. En dan heb jij toch ook maar geweldig geboft dat deze jongeman hier mij al tijdens mijn schoolloopbaan heeft geholpen me in dat nest in het dal daarbeneden niet voor de rechterstoel, de katheder, de kansel en het Rijksdagmandaat klaar te stomen, maar voor de Rode Schans, door mij vanwege mijn zwakke voeten onder de heg te laten liggen. Van mijn vuisten had hij, vanwege mijn aangeboren goedmoedigheid, nooit voldoende weet. Maar het maakt niet uit, want het zit zo: wat er van iemand met matig verstandelijke vermogens, zwakke voeten en een buitensporige aanleg tot vet worden ten bate van jonkvrouw Quakatz en prins Xaver en de Rode Schans te maken viel, dat is ervan gemaakt. Nietwaar, Tine Schaumann? Of niet soms, Tine Quakatz? Ten behoeve van een arm, verfomfaaid musje als jij heeft de wereldwijde ontwikkeling mij onder de heg laten liggen in de zon en op mijn studentenkamer in de schaduw van een tabakswolk. Om jou, aanbedene, op je volle waarde te leren schatten, werd mij zes achtereenvolgende semesters een plaats ingeruimd aan de karige mensa van de *universitas litterarum*. Laat het tot je doordringen, Eduard: Oliebol in de mensa! Dat oude meisje naast ons schuift haar ontzetting in die stormachtige winternacht op van alles en nog wat, behalve op het enige juiste, te weten op de knokige vinger waarmee ik aan haar vensterluik klopte. Probeer jij maar eens niet te schrikken als Magere Hein bij jou in Afrika om middernacht aan je raam klopt! Heb ik aan het bestuderen van mijn eigen kadaver in het achtste semester niet mijn huidige liefhebberij overgehouden? Heeft mij die zogenaamde brood-op-de-plankstudie niet de allervoortreffelijkste gelegenheid geboden de antediluviaanse reuzenluiaard wetenschappelijk overtuigend te reconstrueren? In die wetenschap had ik zonder meer kunnen promoveren, maar laat ik daarover zwijgen, de herinnering aan het studeren grijpt me nog steeds te heftig aan!... Toen ik weer thuiskwam, rook het achter mij bedenkelijk naar verbrande schepen, naar de mijne welteverstaan. Ik wist heel zeker dat ik noch de kansel noch de rechterstoel ooit zou bestijgen! Ook voor de praktische beoefening van de geneeskunde was mijn kennis van de osteologie toch nog onvoldoende. Mijn moeder was dood. Vrienden had ik niet — ook jij, bovenstebeste vriend, was ver weg, als ik me niet vergis al als scheepsarts ononderbroken op weg tussen Hamburg en New York en New York en Hamburg. Wat mijn vader zei? Nou ja, daar zou ik natuurlijk graag mijn zegje over zeggen, maar dat doe ik toch maar liever niet, mijn schrille commentaar daarop is niet geheel vrij van gewetenswroeging. Hij was behoorlijk grof en had volledig gelijk. Toen hij me duidelijk maakte dat de wereld met mij niets kon beginnen en ik niet van hem kon verlangen dat hij voor de tiende keer zou proberen iets met mij te beginnen, stond ik inderdaad met mijn mond vol tanden. "Ga maar naar die moordboer van je, die Quakatz!" had hij uitgerekend mij niet hoeven aan te raden, ook al was het geen slechte raad. Of hij op die onbehaaglijke avond waarop we de balans van onze wederzijdse betrekkingen in de wereld en het leven opmaakten, van mening was dat ik die ter plekke zou opvolgen, weet ik niet, geloof ik eigenlijk van niet. Maar hij riep me ook niet terug toen ik op de drempel naar hem bromde: "*Moriturus te salutat!*" Hij had echt voor zijn dorre subalterne ambtenaarsgevoelens een ambitieuzere, een minder gemoedelijke, een minder gemakkelijke, een minder rondbuikige nakomeling verdiend: maar wat kon ik eraan doen dat ik zijn zoon was en hij niet de mijne...? Godzijdank kunnen we er nu zonder wroeging of bezwaard gemoed over glimlachen, nietwaar Tientje, oude Sybille? We zijn toch nog op de allerbeste voet geraakt met elkaar. Daar, achter ons, onder de linden, heeft ook hij zich 's middags door mijn vrouw koffie laten inschenken. En hij heeft zelfs nog interesse getoond voor mijn en Tientjes botten — onze oertijdbotten bedoel ik. Hij begon namelijk na zijn pensioen de omgeving van de Rode Schans te verkennen, niet zozeer om de mooie natuur maar om het zoeken zelf en hij heeft diverse keren een omhoog geploegde kalfsschedel of -schenkel voor me meegebracht om aan mijn verzameling toe te voegen in de overtuiging mij met zijn vondst te verrassen en op die manier oude zonden jegens mij weer goed te kunnen maken. Welnu, in die nacht, of beter gezegd, die namiddag en avond waren we natuurlijk nog niet zo koek en ei. Mijn oudeheer was nu eenmaal tot de overtuiging gekomen dat ik nu wel lang genoeg op zijn zak had geteerd en dat maakte hij mij net zo duidelijk als vader Jobs zijn Hieronymus. Maar laat me je niet vermoeien met alle details die zich afspeelden in de dagen en uren tussen mijn laatste thuiskomst en mijn definitieve vertrek. Ik stond plotseling met een zeer ongerust geweten en een hartelijk gevoel van medelijden met de oude man buiten op straat in de loeiende storm en de wervelende sneeuw en kon driest opnieuw de bittere vraag aan het eeuwige donker en de actuele duisternis stellen: wie had er eigenlijk het recht mij hier zo als verstandelijke en lichamelijke sukkel neer te planten: nou!...? — Gelukkig brandde er licht in de Gouden Arm, en omdat ik daar toch niet op straat kon blijven staan stevende ik er recht op af en vond het enige op dat moment passende gezelschap en daarmee ook het antwoord op de zojuist opgeworpen vraag. Het was godzijdank nog zo vroeg dat zelfs het meest trieste burgerlijke deel van de stad nog niet op bed lag. Daar kon ik troost vinden en innemen, waar alle schoonheid, wijsheid en deugdzaamheid mij niets hadden opgeleverd. Hoera, louter goede oude bekenden die elkaar tussen het ene en het andere glas door het beste wensten en mij natuurlijk ook — op deze avond zelfs alleruitbundigst. Ik kwam warempel als geroepen op het moment dat het gebrek aan gespreksstof in epidemische zwijgzaamheid dreigde te ontaarden en ik hoefde alleen maar mijn oren open te houden om van hen het antwoord op dat grote vragende 'waarom?' te krijgen. Iedereen in die kring had me ook graag een potlood geleend, als ik de machtspreuk van hun lippen voor de zekerheid maar even had willen noteren.

Dat was echter absoluut niet nodig. Godzijdank hebben de goden, die mij zo karig hebben bedeeld, me wel de gave verleend om aan mijn adres gerichte op- en aanmerkingen aan te horen, er het passende gezicht bij te trekken en er zonodig met het passende weerwoord op te reageren. Het is een gave die bij jullie veel te weinig waardering gevonden heeft, beste Eduard; jullie waren daar neem ik aan nog niet rijp genoeg voor. Welnu, voor een paar wijntjes had ik op die avond nog wel genoeg op zak, en daarbij kreeg ik het mijne te horen, dacht er het mijne van en vond het enig juiste. Het spreekt vanzelf dat ik meteen na binnenkomst in die oude, vertrouwde hoekkamer tot gespreksonderwerp werd gebombardeerd. Men was zo vriendelijk blij te zijn mij nog te zien: hoe later op de avond, hoe schoner volk! Maar dat men al aardig op de hoogte was hoe het er met mij in mijn vaderlijk huis voorstond, was aan het gefluister en geroezemoes om mij heen duidelijk te horen. Al had men ook voor niets ter wereld in mijn schoenen willen staan, toch hadden ze allemaal beestachtig graag geweten of de moed mij, de status quo in aanmerking genomen, al in de schoenen gezonken was. Met de joligheid van een terdoodveroordeelde, schonk ik deze benepen gezellen klare wijn en nam hun de edele overgeërfde wapens uit de hand. Wat had ik op deze inderdaad vrij onprettige avond beter kunnen doen om — het steekspel van de oer-Duitse borrelpraat gaande te houden? Dat ik de universiteit definitief de rug had toegekeerd, gaf ik toe; maar onder welke omstandigheden precies, dat noopte toch tot enige verduidelijking mijnerzijds. Dat er sprake geweest zou zijn van dwang of iets dergelijks was natuurlijk complete onzin, maar dat ik misschien wat al te inschikkelijk gehoor had gegeven aan een welgemeend verzoek en me eigenlijk min of meer had laten bepraten, dat wou ik bij deze uitmuntende gelegenheid, in deze kring van intimi, school- en andere vrienden, toch even duidelijk stellen. Eduard, ik loog als een advocaat op die avond! Niet als een van de satan maar als van een arme duivel die door een wanverhouding tussen zijn lichamelijke en geestelijke vermogens niet in staat is gelijke tred te houden met de voorspoedig door het leven snellende medemens. Ja, ik liet ze op die avond zien wat in dit opzicht de kwalijke gevolgen zijn, als je in de barre wereld te gretig vooroploopt bij het verwezenlijken van je ideaal. Daar stonden in mijn verhaal alle kroegbazen met volle wijnvaten voor lege zalen en zaten alle meisjes bedroefd op hun stille kamertje tranen met tuiten te huilen omdat al mijn medestrevenden zich te zeer aan mijn streven geconformeerd hadden: alle studenten van alle brood-op-de-plankstudies zaten zo diep over hun boeken gebogen dat herhaaldelijk de brandweer moest worden gealarmeerd vanwege de opstijgende rook uit hun hersenpan. Het kon niet anders of de artsen, geneesheren en ziekenhuisdirecteuren moesten zich ermee bemoeien, de openbare gezondheidsdienst moest ingrijpen. De eerstgenoemden kwamen persoonlijk, de laatstgenoemde stuurde de voorzitter en twee afgevaardigden, en allen eisten ze van de rector maar één ding, en wel mijn ogenblikkelijke vertrek (kijk eens, Eduard, hoe onze Tientje hier als een muis in het meel zit te glunderen), alsof moeder Eruditio, ons Germaanse gesluierde beeld van Saïs, iemand van mijn gewicht zo makkelijk als een vlo uit zijn jas kan schudden. Ze kwamen ook bij mij. Ze stuurden een deputatie of delegatie met het niet zo zeer strenge als wel uiterst beleefde verzoek: "Verlaat onze ark!" Wie zou zo'n hartelijke smeekbede hebben kunnen weigeren, temeer daar ook van het thuisfront een soortgelijke roep kwam? Ik verliet hun ark, en zelfs op het station viel me nog menigeen snikkend om de hals: "Broeder, laat voor ons tenminste dat deel van je kennis achter waarvoor je thuis geen emplooi hebt." Natuurlijk zei ik met al één voet in de wagon: "Graag!" en dat was bepaald geen leugen. Ik kon in dit opzicht met plezier heel wat bij hen achterlaten. Ik was in de Gouden Arm werkelijk een heel eind op weg om met een lachend gezicht in het niets te kijken, tot ik plotseling de draai om mijn oren voelde branden, de klap op mijn ironische neus die ik zozeer verdiend had, niet alleen van de kant van mijn arme, schriele verwekker, maar ook van deze hoogst verdienstelijke en welverdienende huisbakken staatsburgers. — Eentje zei: "Uit dat alles blijkt maar één ding, Heinrich, namelijk dat je in al die jaren louter en alleen de Rode Schans, de ontzielde Kienbaum en je vriend Quakatz hebt bestudeerd." — "Wat?" vraag ik. "Nou, wat ik zeg en wat alle heren hier aan tafel met me eens zullen zijn: zoals je nu bent kunnen ze je daar misschien prima gebruiken." O, wat had die man gelijk! Nietwaar, Valentine Quakatz? Het bekende woord *vox populi vox dei* stond in zijn persoon met een grote grijns en wijd open oren voor me, zonder dat ik dat volk een lel kon verkopen! — Wat jij, Valentine Quakatz? Wat kon ik anders doen, toen die man daar voor duizend anderen sprak, dan stinkvriendelijk mijn stoel dichterbij te schuiven, het tafelgesprek af te breken en nog een kwartiertje alleen met hem verder te praten, dat wil zeggen, via hem die duizend anderen op mijn gemak nader ondervragen. Daarna vertrok ik; en nooit voordien en nooit nadien heb ik me zo zeker op mijn benen gevoeld als toen ik op die avond uit die veel te warme kroeg, uit die bier-, grog- en tabakstank in die vliegende sneeuwstorm naar buiten liep en mijn zachte voeten in de dikke sneeuwlaag zette. Als je precies wilt weten, Eduard, wat in het burgerlijke leven het juiste is, vraag het dan de eerste de beste stamgast. Die vertelt het je per omgaande! Ik kan natuurlijk niet weten hoe dat bij jullie in Afrika is, maar hier in Duitsland spreekt men achteraf dan altijd van intuïtie, hogere lotsbestemming, diepere ingeving, het noodlot, de voorziening en dergelijke. — Tegen de wind in had ik het waarschijnlijk niet klaargespeeld, met de wind in de rug ging het, en vreemd genoeg steeds beter naarmate ik de steegjes en de tuinen van de stad verder achter me liet. Hij striemde tegen de Rode Schans, de wind, en over de heuvelruggen blies hij de sneeuw van het pad en drukte me snurkend, maar goedmoedig vooruit alsof ook hij wou zeggen: "Waar wou je vanavond anders heen dan naar vader Quakatz, Heinrich?" — Ook de vestinggracht van prins Xaver had de goedige demon dicht gewaaid en de oprit zichtbaar gemaakt; maar toen kwam de witte muur bij de poort en de haag door de tuin tot aan de vensterluiken; afijn, sneeuw of rijstebrij, stem van het noodlot, diepere ingeving, hogere lotsbestemming, en niet te vergeten daarbeneden de stamgast in de Gouden Arm, alles hielp mee. Ik was in de wieg gelegd om mij al etende een weg naar het luilekkerland te banen van de zachte, wijd open armen van juffrouw Quakatz.'

'O, Heinrich toch!' riep Valentine Schaumann blozend.

'Zijden pootje, houd je klauwen maar ingetrokken! We vertellen dit immers uitsluitend aan Eduard uit Afrika en die vertelt het niet verder onder zijn Kaffers en aan zijn vrouw.'

Daarop wendde Valentine zich weer tot mij en zei: 'U hebt dat soort dieren, denk ik, vast wel persoonlijk leren kennen: zegt u me nu eens, meneer de vriend uit Afrika, heeft u het in uw tijd, ik bedoel in uw jong... jongere jaren ooit voor mogelijk gehouden dat mijn Heinrich de ogen kon opzetten van een leeuw?'

'Nee!' antwoordde ik snel en kordaat. Als er één figuur zich door een botte ontkenning niet gekrenkt voelde, dan was het mijn vriend Schaumann.

Hij lachte er dan ook hartelijk om, maar nam niet minder kordaat zijn vrouw opnieuw de woorden uit de mond en zei: 'Maar dat heb ik wel degelijk, Eduard!Ik heb ze om me heen geworpen, die leeuwenogen! Die van prins Xaver van Saksen konden niet groter zijn geweest toen hij vanaf de Rode Schans de capitulatie van jullie nest daarbeneden aanvaardde. "De ogen werden groot als borden," zingt een dichter uit die tijd, maar die kende uiteraard nog niet de ogen waarmee ik, vanuit ons nest daarbeneden, bezit nam van de Rode Schans, Tientje Quakatz en vader Quakatz inclusief knecht, meid, Kienbaum — kortom het hele moordverhaal. Daarvoor waren borden veel te klein. Hij schijnt ook tegenover jullie commandant met zijn vuist op tafel te hebben geslagen, Eduard, deze verheven Zevenjarige-Oorlogsheld; maar ik betwijfel of hij na die klap ook zijn brandende vuist in zijn mond hield om de pijn van zijn buitensporige ijver weg te zuigen zoals ik, nadat ik die opruiende vazallenbende van de Rode Schans mores had geleerd. Vervolgens nam ik dit kleine meisje hier onder handen en zegevierde ook daar over allerlei dwarsige dwaasheden. Wil je wel geloven, Eduard, dat ze me half huilend, half lachend vroeg: "Maar, zeg, Heinrich, kan dat zomaar? Is dat wel gepast voor mij en voor ons, met het hele dorp en de hele stad met alle ogen en brillen op ons gericht?" In feite was die vraag niet méér dan de bij de situatie passende variant op het preutse "praat eerst maar eens met mijn moeder!" En ik deed het gansje dat plezier, sloeg dit keer niet met de vuist op tafel, maar klopte het brave kind op de schouder, zuchtte smachtend: "Zowaar ze me Oliebol gedoopt hebben, meisje, en overigens zit daar uw papa, die kunnen we naar de rest vragen; de wereld heeft hem beslist uitvoerig te verstaan gegeven wat passend is op de Rode Schans en wat niet." Op die avond kon van zo'n vraag natuurlijk nog geen sprake zijn. Een verstandig woord was op die avond met vader Quakatz nog niet te spreken; de voorafgegane scène had al meer dan genoeg van zijn zenuwen gevergd. Hij zat in zijn stoel te rillen van angst, stompzinnig huilerig nu, maar toch steeds weer zijn bewering herhalend: "Moord en doodslag! Moord en doodslag! Maar ik ben het niet geweest! Maar ik ben het niet geweest, m'neer de president!" Godzijdank herkende hij me op het laatst toch en begreep dat ik voor die nacht een slaapplaats in zijn burg nodig had en nam zijn pet af en mompelde: "'t Is de dikke, geleerde jongen uit de stad! 't Is Heinrich! Als hij zijn Latijns bij zich heeft, kan hij hier blijven. Geef hem een peer, Tine, en maak een bed voor hem in orde; maar geef hem ook een bijl mee. Daar moet hij iedereen zijn schedel mee inslaan die zegt dat ik Kienbaum heb doodgeslagen." — Toen zag zelfs Tine in dat er niets anders opzat dan me mijn gang te laten gaan. En het ging dan ook verder heel goed. Ik kreeg voor het eerst mijn slaapplek op de Rode Schans en de volgende ochtend scheen de zon op de sneeuw (ik word alsnog poëtisch vandaag de dag!) als op een uitgespreide trouwjurk uit de crinolinetijd. En op diezelfde volgende ochtend had dit hartje natuurlijk ook buitengewoon goede koffie gezet, en daarbij liet ik het personeel aantreden en de boer op de Rode Schans introduceerde me bij zijn volle verstand als major domus in zijn rijk of, zoals hij zich uitdrukte, als de nieuwe administrateur. De Justitie, die zich eerder in zijn leven intensief met hem bemoeid had, scheen hem in de laatste tijd volledig uit het oog te hebben verloren. Het scheen dat hij alleen als moordenaar van Kienbaum hun belangstelling had genoten; en dat was op dat moment een geluk en een zegen, en wel voor alle betreffende partijen, als je zo vriendelijk zou willen zijn, Eduard, dat na een halve dag te constateren. Emerentia, ik geloof dat u wordt geroepen.'

'Hij was nog niet door de rechters onder krateele gesteld, onze arme, lieve vader, meneer onze vriend,' snikte mevrouw Schaumann. 'Heinrich, je hoeft nou echt niet meer met je literatuurpersonen en -verhalen aan te komen om te zeggen wat je te zeggen hebt. Ja, heer Eduard, het was zo! Ze hadden van de rechtbank voor de komst van Heinrich nog geen krator aangesteld, hoewel het soms hard nodig was geweest. En het was ook nog niet zo nodig, want de volgende ochtend begreep hij heel goed wat zijn komst voor hem en mij betekende, en nu bleek pas goed hoezeer de voorzienigheid een rol had gespeeld toen ze Heinrich liet kennismaken met de ongelukzalige boer van de Rode Schans.'

'De ergste blindeman kon de sterren zien die hier waren opgegaan. Eerst met modder gooien, dan zich in elkaars armen werpen. En wat betreft het talent het boerenbedrijf te runnen, ach, Eduard, dat weet je zelf ook wel zo'n beetje uit je Afrikaanse boerenleven, hoe dat in zijn werk gaat. Jou was die handigheid van nature gegeven, ik deed die op onder de heg en in Tientjes perelaar en in de provisiekamer van de Rode Schans. Ik had Tientje mest zien scheppen en, wat vermag de liefde niet, ik nam haar de mestvork uit de handen om het puffend op mijn beurt te proberen. De mens is toch niet alleen op mes en vork aangewezen op deze aardkloot, en ook krijgt hij bij ieder levensgerecht dat hem wordt voorgeschoteld geen servet om. Hoeft ook niet. Maar dat kind, dat genadige juffertje, dat burgvrouwtje van de Quakatzburg stuurde ik toch liever met schoongewassen handen de keuken in. Zindelijkheid is toch een deugd, Eduard! Bij de Hottentottenvrouw waardeer je dat bijzonder, en bij je Europese geliefde beschouw je het als iets vanzelfsprekends. O jee, hoe dankbaar was dit poes-propere, goede, oude jonge meisje daar, toen ik haar de mogelijkheid bood onder te duiken als Smeerkonings dochter en als prinses Zwaanhilde op te duiken. Zeg nou zelf: heb ik gelijk, lichtelfje, o meesteres van mijn leven?'

'Hij vertelt dat op een manier dat hij het voor God noch mensen, zelfs voor zijn beste vriend nauwelijks kan verantwoorden, maar het is wel zo!' riep Valentine half lachend, half huilend. En mij verging het wat dat lachen en huilen betreft bijna niet anders. Maar ik had geen weerwoord want natuurlijk grijnsde Oliebol: 'Wat voor mij de hoofdzaak was bij het hele verhaal waren de zoete gevoelens die ik smaakte door de gevoelens van de omliggende omgeving. Alleen zolang de sneeuw hoog lag, en hij stapelde zich in de dagen na mijn aankomst op Quakatzenburg heel hoog op, had ik Tientje, haar papa en het personeel helemaal voor mezelf. Geen god had zich ooit in een dichtere witte wolk aan de gretige blikken van de mensheid zo onttrokken als ik toentertijd. De wereld moest voorlopig een dooiperiode afwachten om me terug te krijgen. Daarna werd ik voor hen het merkwaardigste fenomeen sinds de Duits-Franse oorlog en wekenlang stelde de gedenkwaardige gebeurtenis in de spiegelzaal van Versailles niets voor in vergelijking met dit historische feit: "De dikke Schaumann is eerste knecht op de Rode Schans geworden! Wie wil kan erheen en hem in de februarimodder zien bochelen en Qakatz' personeel uit horen foeteren!" — En zij gingen haastig en kwamen en aanschouwden voorlopig voorzichtig en van verre aan gene zijde van de vestinggracht van prins Xaver het fenomeen, het Monster! Naar Tientje had bij het mest op- en afladen natuurlijk nooit iemand omgekeken, maar ik was een bezienswaardigheid, en als ik op deze wereld ooit in mijn nopjes ben geweest, dan was het toen wel, toen ik er voor het eerst niet alleen aardigheid maar ook vaardigheid in kreeg.'

'Meneer Eduard, hij vertelt rampzalig; maar het is echt zo gegaan als hij het op zijn malle manier uiteenzet!' sputterde de vrouw opnieuw. 'Hij is onze eerste en laatste knecht geweest, alsof hij nooit iets anders was geweest, alsof vader hem niet had weggestuurd om zijn Latijnse woordenboek te halen. Het ging hem allemaal zo gemakkelijk af alsof hij van kind af aan niets anders gedaan had, als landbouwer, als boer op de Rode Schans. Ach, lieve hemel, wat heb ik toen gegriend of mijn tranen ingeslikt, wat heb ik gehuild van ellende en blijdschap! Natuurlijk alleen vanachter het keukenraam, zodat hij er niets van merkte. Het was allemaal te onnatuurlijk!'

'Natuurlijk was het te onnatuurlijk, namelijk dat Jacob zeven jaar lang Sarah moest dienen,' grijnsde Oliebol. 'Dat was bij ons een tikkeltje sneller beklonken. Ik nam haar en zij nam mij behoorlijk wat eerder; en nu, even heel in het kort, vriend van mijn jonge dagen: het was eeuwig jammer dat je niet bij onze bruiloft was, want daar zou je mij voor het eerst op waarde hebben geschat. En als je op die dag "O, die Oliebol!" had geroepen, dan zou je daarmee voor het eerst volledig gelijk hebben gehad, zowel wat de bruid alsook wat het feestmaal betrof. Je reinste bruiloft van Camacho, alleen dat ik me de bruid niet heb laten afpakken! Je weet, Eduard, dat ik onder mijn heg van alles en nog wat las. Maar je verneemt misschien vandaag voor het eerst dat er in de hele wereldpoezie maar één tafereel is dat mij persoonlijk poëtisch stemt, gestemd heeft en zal stemmen: de bruiloft van Camacho! Ach, wat een honger moet Señor Miguel hebben geleden toen hij de voorbereidingen schilderde van dat prachtige, vetrijke, braadvetdruipende, suiker-geïncrusteerde banket, om van zijn zuidelijke, matige, naar geitenleren zakken geurende dorst maar niet te spreken! Al onder de heg had ik mij als jongen vast voorgenomen om ooit met minstens een gelijkwaardige hoeveelheid ketels, potten en pannen een meisje gelukkig te maken! Nu was ik zover en kon ik de omgeving uitnodigen over de heg toe te kijken hoe ik me tegoed deed. Dat vond Tientje maar zozo, maar ik niet, en het bedoelde bruidskind liet zich overhalen, alhoewel ze verzuchtte: "Maar dat heeft toch niemand aan ons verdiend!" — "Juist daarom," sprak ik, "een huwelijksdag is serieus genoeg om je een grap te kunnen veroorloven, dus gun me dat plezier. En na afloop zul je zien hoe lonend die grap was en wat de gevolgen ervan zijn." — "Je bedoelt dat ze ons de ellende die ze ons hebben aangedaan zullen vergeven, en de Rode Schans zich weer onder de mensen kan vertonen?" — Op die belachelijke vraag gaf ik geen antwoord; al was hij begrijpelijk, getuigde het toch van al te weinig mensenkennis. Ik waste, zoals jullie Zoeloekoning Cetewayo zich zou hebben uitgedrukt, Eduard, mijn speren in de ingewanden van de mij omringende stammen: zover het gerucht van Kienbaum en Kienbaums moordenaar zich had verspreid, werd voor die dag gratis eten en drinken geproclameerd, en ik heb ze allemaal of bijna allemaal op Quakatz' boerderij ontvangen op de menslievendste dag van mijn leven. Ze hebben ons, op die paar na die het aan hun maag hadden, stuk voor stuk de eer bewezen: de vleespotten lonkten en iedereen, iedereen kwam; en ik stond aan de poort en ontving ze, begroette ze en nodigde ze naar binnen met alle duizendjarige cultuurverworvenheden in mijn vestje. Ik ben er vast van overtuigd dat ik de wereld nog nooit zo dik, te weten zo door en door dik-Duits-gemütlich, ben voorgekomen als op die zonnige zomerochtend. De honden had ik opgesloten, maar daarover later.'

'Ik kan het niet langer aanhoren!' riep Valentine. 'Ik kan het echt niet, meneer Eduard. O, en dan je goeie ouwe vader, Heinrich?!'

'Jawel, die kwam ook, voor het eerst van zijn leven, over de gracht van prins Xaverius, in zijn trouwpak nog wel, en op die feestelijke dag had hij er voor het eerst van zijn leven geen spijt van dat ie mij op de wereld had gezet. Dacht je soms dat ik je had genomen, mopje, als ik niet heel zeker had geweten hoe lief en schoondochterlijk je met die brave oude aambeienkweker om zou gaan? Dat hij zich uit liefde voor mij daarna zelfs op de paleontologie heeft gestort, heb ik je waarschijnlijk al verteld, Eduard? Maar de hoofdzaak op die dag, Tientje, was niet mijn vader, maar de jouwe.'

'O god, ja, ja, ja!'

'Hij voelde zich kiplekker tussen ons, Eduard. Ook dokter Oberwasser — jou bekend als Langedarm, zoals jullie hem toentertijd in tegenstelling tot mij noemden, en die je misschien even volvet als ik in De Brompot hebt teruggevonden — dokter Oberwasser dus was ook verschenen en had ons verzekerd: "Als hij goed verzorgd wordt en er op zijn eigenaardigheden vriendelijk wordt ingegaan en hem zo weinig mogelijk wordt tegengesproken, dan kun je die oude zondaar nog lang op je dak hebben." — Welnu, we hebben hem godzijdank nog lang onder ons dak gehad, en op die feestelijke dag als een schitterend voorbeeld van menselijk en intermenselijke metamorfose. Niets ten nadele van vriend Oberwasser, maar ik kneep heimelijk in mijn handjes vanwege mijn eigen psychiatrische behandeling van vader Quakatz! Die ging er als vanzelfsprekend vanuit dat het geëerde gezelschap dat zich ten behoeve van mij op de Rode Schans had verzameld, louter en alleen was verschenen om zijn eerherstel luister bij te zetten. En dát had vriend Langedarm me waarlijk niet hoeven influisteren, en Tientje hier ook niet, dat we hem zijn beleefdheid en complimenten en innerlijke genoegdoening moesten gunnen. Overigens zat hij toen toch ook weer op zijn eretroon als een echte geuzenkoning; want dat had ik mij evenmin laten ontnemen: ik had ook diegenen uitgenodigd die hem nooit hadden laten vallen. Een bont gevarieerd landloperscontingent van onderweg en onder de heg was niet buiten de deur gehouden door de wal en de vestinggracht van Zijne keursaksische en Koninklijke Poolse Hoogheid. De vlag met het *Salve hospes* wapperde voor iedereen, en alle honden lagen zo niet aan de ketting, dan toch op het veilig omheinde achtererf, voor eens en voor altijd verlost van hun bewakingsdienst op de Rode Schans. Maar als er iemand voor de torenhoog gevulde voerbakken en omringd door bergen afgekloven botten mee bruiloft vierde, dan was het wel dat ouwe, getrouwe, goeie wachtpeloton van de Rode Schans en van mijn jonge vrouw! Ik sloop meteen na de toost of heildronk weg uit de kring van vrienden en kennissen en ging even bij ze binnen in hun besloten ruimte achter het kippenhok. Ze knikten me zonder uitzondering glimlachend toe, dat wil zeggen, ze kwispelden allemaal met hun staart, behalve de braverd die het niet kon omdat ooit een schofterik uit Maiholzen hem zijn welwillende appendix vlak bij de wortel had afgehakt. Maar die wreef teder jankend met zijn neus tegen mijn been en gaf me op die manier te verstaan: "Echt, jij weet waarachtig wat er voor ons hier op de Rode Schans het beste is!" — 'Op mijn Tientje na hebben jullie daar wel als eerste lucht van gekregen?" vroeg ik van mijn kant en legde de oude veteraan de hand op zijn bol. Ik bedoel, Eduard, we hadden allebei gelijk: de hond met zijn compliment, en ik met mijn vraag.'

'Ik zeg geen woord meer!' zei mevrouw Valentine Schaumann.

'En daar heb je gelijk in,' zuchtte Heinrich, ondanks de avondkoelte nog steeds met zijn zakdoek zijn voorhoofd wissend. 'Maar mocht je toch nog iets willen zeggen, doe het dan nu en niet als Eduard weer weg is, zowel vanavond als later op zijn verdere reis naar Afrika. Nou? Zeg op!'

'Nee!' zei Valentine, en wiste met haar zakdoek haar ogen.

'Mooi zo. Daar zal ook Eduard blij mee zijn; want wat moet deze globetrotter en avonturier op zijn aanstaande reis over de grote vijver eigenlijk van ons denken, als dat met onze levensavonturen en onze manier van vertellen nog lang zo doorgaat?'

Iets bijzonders is op het schip niet voorgevallen en schijnt ook niet te gaan gebeuren. We hebben Sint-Helena aangedaan. Maar ik was al eens eerder in Longwood en heb mezelf de moeite bespaard een tweede keer die vreselijke trappen te beklimmen en het verbleekte, gescheurde behang te zien waarop het oog van de piramides, van Austerlitz, Jena, Leipzig en Waterloo in de laatste koortsdagen en -nachten van zijn leven het patroon heeft liggen tellen. Ik ga aan dek, waar de kapitein voor de kinderen op zijn schip, natuurlijk die uit de eersteklas kajuit, om ze te plezieren nog eens een haai heeft laten vangen uit wiens buik zich dit keer godzijdank niet iets al te gruwelijks ontwikkelt. Het beest heeft, als bij natuurhistorische uitzondering, geen mens verslonden, of in zijn maag een half verteerd matrozenbeen of een nog op een plank gebonden kinderlijkje. Het heeft alleen gegeten wat er volgens de natuurlijke historie verder nog deel uitmaakt van zijn voedselketen en ik daal bij doodkalme zeegang weer af in de rooksalon om Oliebol verder te laten vertellen.

Dat deed hij; want de onderbreking op deze plek was niet aan hem te wijten. Hij berichtte: 'De ochtend na de bruiloft gebeurde natuurlijk precies wat ik allang had zien aankomen. Ik zat op de Rode Schans, wel niet als een hond aan de ketting, maar toch op een ingeperkt stukje grond. En dat een welgevulde etensbak daarvan deel uitmaakte stond voor alle feestgangers van de voorafgaande mooie dag, in het meer of minder behaaglijke nagenieten van het verteringsproces, als ze zich inleefden in mijn verdere levensgeluk, als een paal boven water. Ja, wat ik altijd had willen hebben, dat had ik nu. Ik zat nu midden in mijn ideaal, en ik was met mijn ideaal alleen op de Rode Schans. De day after stond ik met mijn jonge roosje op de wal die ons jonge geluk omsloot, en keek met haar neer op het dorp en de stad en de mooie natuur en gaf me geheel overbodig over aan een stukje conversatie: "Kind," zei ik, "dat we nu de wijde wereld in zouden gaan, dat is onmogelijk. Daar heb ik toch al die moeite niet voor gedaan. We hebben je papa weer zo'n beetje onder ons mensen. Het was weliswaar geen verheffend schouwspel hoe die verbinding weer tot stand is gekomen; maar het is niet anders! En we moeten er toch voor zorgen dat nu niet alles weer in duigen valt. Dus — laten we verder zo voor je vader zorgen als ik het heb aangepakt. Mocht je later toch nog eens Berlijn, Petersburg, Parijs, Londen, Rome en dergelijke willen zien, dan hobbel ik natuurlijk mee of achter je aan. Maar haast heeft dat niet. Op het ogenblik hebben we nog heel andere dingen en heerlijkheden bij de hand." En dat hadden we! De Rode Schans bestormen was naar verhouding een stuk simpeler dan hem en jezelf daarin overeind te houden, dat laatste dan ook nog met de hele reutemeteut, met vrouw en schoonvader. Tientje, het is mijn beste vriend die ik dit vertel, en hij mag alles horen.'

'Alsof ik er niet al eeuwig aan gewend ben alles van je horen!' verzuchtte Valentine Schaumann.

'Dacht je?' vroeg haar man. 'Vanavond nog hoop ik je het tegendeel te bewijzen. Als het enigszins mogelijk is laat ik je morgen via anderen weten wat ik je vanavond nog zou kunnen zeggen.'

'O god, toch niet dat van Kienbaum en zo?'

'Ik was beslist de gewichtigste Latijnse boer die de godin van de landbouwgeschiedenis ooit op haar weegschaal heeft gelegd, Eduard! Ik bewerkte de akker die mij voedde, maar ik bestudeerde ook de bijbehorende schriftelijke documenten en andere papieren uit het kabinet van mijn malle schoonvader. Ik beheerde ook het vermogen dat behalve uit de rondom de schans liggende en niet alleen in paleontologisch opzicht vruchtbare grondstukken, ook bestond uit schuldbrieven. De communis opinio luidde bijgevolg algauw dat er niemand zo gehaaid, maar ook zo gewetenloos was als ik. Je weet, beste vriend, dat het volk er van tijd tot tijd behoefte aan heeft om ter verhoging van het zelfrespect zichzelf een ethische houding aan te meten. Godallemachtig, wat waren ze met die Andreas Quakatz, met Kienbaums moordenaar, van wie ze toch niets wilden weten, intiem omgegaan als het om geld ging! Hoe ze in de rij hadden gestaan om hem op basis van wederzijds vertrouwen te paaien met goede aandelen, pandbrieven, hypotheken, borgstellingen en wat er verder in het drukke betalingsverkeer zoal voorkomt. Bij drie brandverzekeringen had de oudeheer zich laten verzekeren, omdat ze hem verzekerd hadden dat ze er vast van overtuigd waren dat niet hij Kienbaum had doodgeslagen. Ik rijk je daarmee een rode draad aan waarmee je, zover je maar wilt, terug kunt tasten in het duistere doolhof waar ik het daglicht heb moeten binnenlaten. Bespaar me verdere uitwijdingen. Kortom, de vloek van Adam, voor zover die de akker, het graven, hakken, ploegen, de aardappel-, hooi- en graanoogst betreft, was pure ontspanning vergeleken bij het nachtelijke wroeten, ploegen en rooien aan het schrijfbureau. Brrr, Eduard, als ik toen niet mijn Tientje had gehad, dat kind met haar breiwerk, haar brede menselijke evaring, haar tegen de avond soms wat wijsneuzige, maar de volgende ochtend evenzogoed verbazend slimme ingevingen en haar twee door het werk geharde boerenpootjes, waarmee ze mijn twee zachte erudietenhanden van mijn koortsachtige slapen trok: "O Heinrich, je doet het immers voor mij, dus kijk eens of je de ontbrekende rest van Kleynkauers schuld misschien nog op naam van zijn schoonzoon, die dat kroegje beneden in de stad heeft, onder zijn erbij gekochte stuk weiland in het grootboek genoteerd vindt!" — Eduard, ook jij hebt in Kafferland een vermogen vergaard: doe niet alsof jou dat niet de nodige inspanning heeft gekost! Kijk, nu begint me dat arme kind ook nog te huilen, omdat ze het aan mij moet overlaten jou ten slotte mee te delen dat het ons, haar en mij, is gelukt om aan vader een klein beetje recht te doen, zodat ook voor hem de zon des levens voorzichtigjes begon te schijnen in de benauwde veste van de Comte de Lusace, in zijn hoekje bij de kachel en op zijn verwarde kop en over zijn gezwollen knieëen en zijn ingeslapen voeten.'

'Ja, ja, ja, meneer Eduard!' snikte de erfdochter van de Rode Schans, Quakatz' dochter; maar Heinrich Schaumann scheen in dit logboek des levens minder dan ooit gevoelig te zijn voor een dergelijke ontroering. Hij fronste alleen zijn wenkbrauwen wat dieper en bromde (voor de eerste keer in zijn verhaal kon men hier een zacht geknor vernemen): 'Ja, ja, ja, omdat ze mij moesten groeten, daarom gingen ze ook hem weer groeten; en zo is de mens, Eduard, dat het de grijze zondaar waarlijk plezier deed, ja hij vond het zelfs ronduit heerlijk om bij wijze van tegengroet voor de onnozele wereld nog eens zijn muts af te nemen. Hij is de eeuwige rust ingegaan in de volle overtuiging integraal gereïntegreerd te zijn onder de mensheid. Welk eerherstel hem daarginds, hierboven, vanaf de Allerhoogste troon en rechterlijke stoel ten deel is gevallen, kan ik je helaas niet vertellen. En nu — nu, Tientje, ouwe dappere meid, en jij, Eduard, verste, dat wil zeggen, verst weg wonende vriend van mijn jeugd, nu zal ook ik hem recht laten wedervaren. Wie weet, heeft de hoogste en laatste rechter mij alleen daarom zo vet en zo gelaten gedropt in deze omgeving! Wat die gelatenheid betreft, heeft hij aan mij absoluut een goeie. Dus, als je er niets op tegen hebt, zal ik je straks op je terugreis naar Afrika een stukje begeleiden.'

'Heinrich?!' riep de vrouw en sloeg haar handen ineen.

'Madame Valentine Schaumann?!' imiteerde de echtgenoot haar toon van opperste verbazing na.

'Meneer Eduard,' riep de vrouw uit, 'hij heeft mij Rome, Napels, Berlijn en Parijs en dergelijke niet laten zien en ik had daar ook nooit enige behoefte aan; maar hij heeft daar zelf ook nooit enige behoefte aan gehad. Hij heeft sinds ons trouwen nog geen zes keer ook maar één voet gezet buiten ons terrein en de naaste omgeving van zijn knekelzoekerij! Naar de stad gaat hij alleen als de een of andere instantie hem drie keer een dwingende aanmaning heeft gestuurd en ten slotte dreigt met gevangenisstraf! Het duizelt me, na wat hij zojuist gezegd heeft!'

'Zo zijn de vrouwen!' verzuchtte Oliebol. 'In Parijs, Berlijn en Rome hadden we nu eenmaal absoluut niets te zoeken; maar in de stad daarbeneden staat ons vanavond bij uitzondering het een en ander te doen. Ons, mevrouw Valentine Schaumann, geboren Quakatz! Vertrouw er nu ook vanavond maar weer op dat ik weet wat voor ons vredige samenzijn het meest bevorderlijke is.'

'O Heinrich, dat weet ik toch!' riep de vrouw, terwijl ze trillend haar man bij de arm pakte en hem angstig in de ogen keek. 'Maar dat is vanavond toch wat totaal anders dan normaal! Jij vertelt dan wel de hele dag op je gebruikelijke manier het ergste en het beste, het hartverscheurendste en het onzinnigste, alsof je een oude sok zit uit te halen; maar nu moet je daarmee ophouden en een beetje aan mij denken, als je me al tot alle overige vrouwen op aarde rekent. Het is *mijn* vader, waar je het over hebt! Het is *mijn* treurige kinderangst en ellendige jeugd, waar je het over hebt! En — meneer Eduard, hij doet alleen maar zo kinderachtig omdat hij weer eens niet aan de grote klok wil hangen wat een zegen hij voor ons is geweest! Kijk me nu eens goed aan, Heinrich, lieve man, en heb nog één keer medelijden met me! Het is vanwege vaders laatste, complete rechtvaardiging dat je nu met je vriend de stad in wilt; en — en mij wil je daar niet bij hebben! Maar o alsjeblieft, alsjeblieft, ik hoor daar toch ook bij, en je moet me erbij laten zijn. Je neemt me toch mee naar de stad!'

'Neem ik jou mee naar de stad?' mompelde de op dit moment onomstreden baas van de Rode Schans, die ondanks al haar bewogen smeekbeden de blik van zijn vrouw ontweek en omhoogkeek. Het duurde geruime tijd voor hij zei: 'Zo je wilt, mijn kind. Hm, hm, als je keuken — als je niet denkt dat je in je keuken — Eduard, je eet vanavond toch wel met ons mee —?'

'Man, man,' greep ik nu in, 'onmens, ik heb meer dan genoeg gegeten! Hou eindelijk op nou, en kwel je vrouw niet langer! Wat heb je haar, wat heb je ons te zeggen? Kun je het ons dan werkelijk niet hier op je verschansing, in deze stilte, bij dit avondlicht boven onze wereld meedelen?'

'Je hecht eraan hier in de openlucht die horror op je boterham te krijgen en je buik met ontzetting te vullen, Eduard? Hm, hm, hm –'

En daarop nam hij zijn vrouw teder in zijn armen en kuste haar en streelde haar wangen en streek haar liefkozend over het haar.

'Mijn hartje, mijn kindje, mijn troost en zegen, het is zo'n onzinnige, afgedankte, muffe troep die ik overhoop moet halen, omdat me niet veel anders overblijft. Hoe graag zou ik onze verschansing, zoals Eduard zo treffend heeft geformuleerd, vrijwaren van de laatste bedompte, bedorven geur die daaruit zal opstijgen! Daartoe ben ik niet bij machte, maar – ik kan je er wel over vertellen vannacht, zo na middernacht, als we allebei onze slaapmutsen hebben opgezet. Ik kan dan ook beter, als alles stil is boven de Quakatzburg – boven de sterren, beneden de graven, zegt de oude Goethe – de daarbij passende op- en aanmerkingen maken –'

'Ik blijf thuis en wacht weer op je, Heinrich,' zei de vrouw. Ze verkeerde in grote opwinding en ieder ander zou zich groen en geel hebben geërgerd aan de manier waarop haar dikzak zich gedroeg en anderen daarin liet delen; maar ze was niet alleen een goede, maar ook een gelukkige vrouw.

'Zie je, dat dacht ik nou eigenlijk ook, Tientje! Kijk eens: deze goede vriend hier, deze Eduard, vertrekt morgen, overmorgen of over drie weken naar huis, en wel per schip. Hij kiest, zoals dat plechtig heet, het ruime sop. Daarboven waait normaal gesproken een frisse wind, en de man ziet onderweg louter andere gezichten, niet steeds dezelfde zoals wij hier. Deze geluksvogel wil ik de geur van zijn dierbaar stukje grond vanuit zijn ligplaats fris mee op weg geven, iets waar hij in zekere zin zelfs recht op heeft. Hij is er namelijk persoonlijk veel directer bij betrokken dan hij zelf vermoedt. Jaja, jongeman, daar sta je met je ogen te knipperen! Dus, je wilt werkelijk niet bij ons blijven eten? Nou, houd dan zo lang mijn vrouw even gezelschap tot ik me heb omgekleed.'

Hij stond zwaar steunend op van het bankje op de wal van prins Xaverius, greep met een teder gebaar van zijn rechterhand, met in zijn linker de gedoofde pijp, zijn vrouw bij haar kin en zei: 'Ja, mijn lief, blijf jij maar hier boven in de goede, zoele lucht van onze schans. Het is een veel te aangename avond, veel te heerlijk stil, met alleen nog de late leeuweriken in de lucht. Deze globetrotter mag hopen dat de zeewind en misschien zo'n klein schipbreukje met interessante redding en wat dies meer zij, hem de fatale geur van daarbeneden weer uit de neus blaast. En dan zie ik hem helaas misschien mijn hele leven, na zijn vertrek natuurlijk, niet meer terug en hoef ik hem dus ook niet te kalmeren en voor zijn zielenrust de nare spoken uit zijn fantasie te verjagen. Maar met jou, tussen jou en mij, arm lief kindje, ligt dat heel anders. Met jou zit ik nu eenmaal bij goed én bij slecht weer, bij kies- en andere pijn in het lijf en alle overige kwaaltjes en ongemakken permanent opgescheept en — heb ik toch ook de plicht mezelf haaks te houden bij alle verdriet en ellende en spokerijen. Wat zou je nou nog je oude neusje in dat overjarige, bloederige grondsop steken? Weet je, ik loop een stuk met Eduard mee en later, na middernacht, afijn, wat ik al zei, Eduard houd jij mijn vrouw even bezig, ik ben zo weer bij jullie.'

Hij waggelde plomp in de richting van het huis, en zijn vrouw en ik keken hem vanaf de bank over onze schouders na, zagen hem onderweg nog een keer stilstaan om zijn kater te aaien en verdwijnen in de deur met het opschrift 'Ga uit de ark!' Toen pas greep de vrouw weer naar haar zakdoek en riep: 'Wat zegt ú daar nou van? Hier zit ik dan in het milde avondzonnetje, stil in de luwte, zoals hij zegt. O ja, maar u, lieve meneer Eduard, kunt niet half aan me zien hoe erg het huidige nieuws mij inwendig van streek maakt! Een ander dan u die zelf zoveel hebt meegemaakt, zou vast en zeker denken: Dit is toch te erg voor woorden — en daar zou hij beslist geen ongelijk in hebben. Maar zo is ie nou eenmaal — mijn Heinrich dan. Hij krijgt het belangrijkste en vreselijkste te horen wat hart en ziel kan bewegen, en laat er zijn pijp niet door uitgaan. Zegt geen boe of bah, voor het hem uitkomt! En ik — ik dochter van mijn arme vader, ik heb zo'n onrustige, nare kindertijd beleefd met krabben, bijten en stenengooien naar iedereen, dat ik me, zo oud als ik nu ben, graag en gewillig neerleg bij zijn hogere verstand en nergens meer naar vraag, en me gedeisd houd, hoewel dat, god betere 't, helemaal niet in mijn natuur ligt. Ik weet ook heus wel dat we nu godzijdank hier op de schans stil ons eigen leventje leven, dat we voor alles de tijd hebben. Dat we voor alles het juiste moment kunnen afwachten om elkaar alles te zeggen, 's middags of om middernacht, het ergste en het beste. Ik ken ook goddank zijn ziel tot in alle vezels en weet dat hij geen geheimen voor me heeft; want anders zouden we ook niet zo leven als we leven; maar wat te erg is, is te erg! En een dochter blijft toch altijd een dochter en een vrouw een vrouw, ja, en, meneer Eduard, een mens een mens: hij kent Kienbaums moordenaar, hij kan hem misschien vandaag al aan de galg brengen en hij heeft de dochter van boer Quakatz van de Rode Schans als vrouw en hij gaat ermee om alsof ie zijn hoofd uit het raam steekt en zegt: 't was de hele dag nogal drukkend, misschien zit er toch nog een onweersbui in de lucht!... Zegt u me alstublieft, meneer, wat vindt u daar nou van?'

'Dat er geen gelukkiger, verknochter echtpaar bestaat dan jullie tweeën. En dat Olie — mijn vriend Heinrich volkomen gelijk had toen hij onder zijn heg bleef liggen en hooguit wat grijnsde als hij ons onze gang liet gaan of, zoals we toen dachten, moest laten gaan.'

'O, meneer Eduard, noemt u mijn man toch gerust ook voor mijn oren Oliebol. Die naam verdient hij ten volle,' glimlachte ondanks haar geagiteerdheid en door haar tranen heen Valentine Schaumann. 'Ik bedoel,' vervolgde ze liefdevol ieder misverstand de kop indrukkend, 'dat hij het leven als één grote oliebollenkraam beschouwt, dat kun je van hem werkelijk niet beweren. O nee, hij is geen gulzige slokop, maar heel kieskeurig en neemt alle tijd, en dat niet alleen als het om eten gaat, maar ook in alle andere aangelegenheden en dingen. Dat beleven we juist op dit moment in alle hevigheid! Maar zo is hij nu eenmaal, en dat Onze-Lieve-Heer hem om mijn bestwil zo heeft geschapen, daarvan ben ik niet alleen in zijn algemeenheid vast overtuigd. Ik hoop in mijn stille, meest intieme uurtjes dat ik van mijn kant door de voorzienigheid ook zo voor hem gemaakt ben als ik ben, en dat ook hij er in de wereld eenzaam en ellendig aan toe zou zijn als hij mij daar niet had gevonden. Maar dat wij op onze Rode Schans in de ogen van de buitenwereld een hoogst merkwaardig koppel zijn, dat geloof ik zonder meer als iemand me dat zegt, want ik zeg het vaak genoeg ook tegen mezelf — Hemeltjelief, heeft hij toch zijn pak al aan, zonder dertig keer mijn hulp te hebben ingeroepen, zelfs als hij alleen maar op zijn fossiele knokenexpeditie wil gaan. O god, naar welke nog oudere en veel ergere doodgraverij wil hij nu op weg?'

Daar was hij weer. Half pastoor, half landbouwer; maar nog geheel en al de dikke Schaumann! — Hij droeg nu een lange zwarte geklede jas, een zomervest met open hals, een losse halsdoek, een breedgerande strooien hoed, en hij had zijn witte zomerbroek aangehouden. Een potige wandelstok had hij als onontbeerlijke steun ook bij zich. Maar voorlopig nam hij hem onder zijn ene arm en legde zijn andere om zijn vrouw.

'Kus mij, Andromache, en kijk me na vanaf Trojes wallen; maar maak je in godsnaam geen zorgen om mij. Ik moet de in koper gepantserde Griek nog zien die ter ere van Patroklos' schim en uit wraak de dikke Schaumann om zijn vesting laat draven of galopperen. Daar heb je nog een kus, en stop nu met die omhelzing. Ik geef je mijn woord dat ik gezond en indien mogelijk onbezweet weer thuiskom en iets voor je meebreng dat weliswaar minder mooi maar des te rustgevender is. Eduard komt mee als ik het bloedoffer pleng, Kienbaums *manes* genoegdoening verschaf en ook van mijn kant de wraakgodinnen vriendelijk verzoek eindelijk de deur achter zich dicht te doen en de Rode Schans met rust te laten —'

Ik moest nu afscheid nemen van de lieve Valentine en natuurlijk beloven dat mijn eerste bezoek niet ook mijn laatste zou zijn. Mijn vriend ging me voor over zijn half dichtgegroeide damweg zonder om te kijken; ik deed dat echter meerdere keren en zag de dochter van boer Quakatz op de heuvel staan van de schans van prins Xaver van Saksen. Daarbij voelde ik een diepe, maar behaaglijke ontroering en uit het diepst van mijn hart zei ik: 'Dat goede mens! Ze heeft het wis en waarachtig verdiend dat ze haar bedje daar gespreid vindt. Heinrich, dat jullie nog lang onder je zomerse groen en achter je winterse kachel mogen zitten om de wereld aan je voorbij te laten gaan.'

'Amen, om daarna in één graf te worden gelegd en nog een leven lang rond te spoken en onze respectabele buurtgenoten op de zenuwen te werken,' zei Oliebol. —

Algauw kwamen we wat mensen tegen, die ons eerst verwonderd aanstaarden en zodra we voorbij waren, bleven staan, ons nakeken en vast en zeker mompelden: 'Heremetijd, de dikke Schaumann, niet op zijn vaste stek?!'

Het opzien dat we baarden nam toe naarmate we dichter bij de stad kwamen en burgers in groepjes of alleen ons tegemoet wandelden. Een paar keer werden we nu ook aangesproken, en de verwonderde vraag wat mijn vriend ertoe bewoog de stad te bezoeken, werd expliciet en hoogstpersoonlijk aan hem voorgelegd.

'Pure beleefdheid! Mijn vriend Eduard vertrekt naar Kaap de Goede Hoop en ik help hem alleen een stukje op weg. Overigens heeft hij vanmiddag ook bij mij gegeten.'

Meer dan eens hoorde ik als reactie: 'Het zal toch niet waar zijn?'...

Was de dag al mooi geweest, de avond was zonder meer prachtig. Vredigheid alom in de natuur en de stad stil en schoon! De gemeente had altijd al veel waarde gehecht aan een schoon en opgeruimd straatbeeld, met groene bomen op de marktpleintjes en in de lanen, met klaterende dorpsfonteintjes en wat er allemaal zo bij hoort. Ook de wereldgeschiedenis, wat in dit geval de prins Xaver van Saksen inhoudt, had er door diens bombardement en later door meerdere branden, het hare toe bijgedragen de stad fris en in goede toestand over te dragen aan de actualiteit, door op die manier veel oude rommel uit de weg te ruimen. Het was al met al een gemeenschap waar je 's avonds van het veld of het bos graag weer wilde thuiskomen, en onbekommerd het raam kon openzetten zonder het meteen weer dicht te moeten klappen met een kreunend: 'Jasses, bah, wat stinkt het hier vandaag weer!'

'Heerlijk, niet?' zei Oliebol toen we de sierlijke plantsoengordel van de stad bereikten. 'Dat moet je toch een vertrouwd gevoel hebben gegeven, Eduard, toen je hier onlangs weer voet aan wal hebt gezet? De meest verwende Kaffer moet hier de burgemeester en het stadsbestuur de hemel in prijzen! Waar of niet?'

'Zeker, zeker!'

'Hmm, hmm, en die kindermeisjes met die kleine schatjes daar op de banken, al die vriendelijke avondwandelaars en -wandelaarsters. Alles zo knus en behaaglijk, zo — onschuldig! En verplaats je nu eens in mijn toestand zoals ik hier naast je loop, met de macht en eigenlijk de hoogste verplichting deze idylle vanavond nog in het volgende deel van de serie *Misdaad en straf* onder te brengen. Jawel, jawel, nu loop ik hier nog als de dikke Schaumann naast je door de stadse idylle — als ze morgen van daaruit naar de Rode Schans opkijken, zullen ze het uitsluitend nog over de mysterieuze, straffende engel Schaumann hebben en hem zich als een gifkikker zien opblazen: Eduard, je heb nog niet echt door hoezeer me die geschiedenis met Kienbaum dwarszit en hoezeer het tegen mijn natuur in gaat dat juist ik belast ben met de definitieve afwikkeling van die zaak! Ik, ik, en als ik me dan daarbij nog de volksmassa voorstel die ik uit naam van de zogenaamde eeuwige gerechtigheid in de meest hemelse staat van euforie breng! Verplaats je in mijn nachten, hoe ik me al die lieden persoonlijk ter harte neem en me bij iedereen stuk voor stuk afvraag: Wat? Voor *zijn* lol? Om die man een plezier te doen? Om hém genoegdoening te geven? Mijn lieve god, als ik in dit opzicht niet een bepaalde verplichting tegenover mijn hartendief — ik bedoel mijn vrouw — zou hebben, Eduard! Ze is en blijft nu eenmaal een geboren Quakatz; zo gaat het hier nog altijd toe in Europa, beste Eduard, als de familie van je bruid in een kwade reuk staat.'

Hoe het idyllische stadje morgen zou reageren op de lichaamsomvang van mijn vriend, mij leek hij nu al buiten alle proporties op te zwellen. En net als zijn brave, goede, aardige vrouwtje lag ik monddood aan zijn voeten, moest hem laten praten, liet hem praten en wachtte elke keer als hij even ophield, met de grootste innerlijke spanning tot hij weer begon om zich al pratende te laten gaan. —

Hoe uitnodigend het stadje van mijn jeugd ook scheen, we bleven voorlopig nog even aan de periferie. Oliebol leidde me rond de 'wal'. Hij zei niet waarom en ik vroeg er ook niet naar. Ik vond het werkelijk zo langzaamaan het beste me in alle rust op zijn manier door hem te laten leiden.

Die wal, die ooit door prins Xaverius vanuit de Rode Schans onder vuur was genomen, was nu omgetoverd in een verrukkelijke wandelroute. Segmenten van de vroegere stadsgracht waren nog steeds aanwezig, als losse vijverstukken, omkranst door populieren, treurwilgen en sierstruiken.

Vanaf het hartje van de stad kwamen er straten en zijstraten uit op deze wandelpaden, en een van die zijstraatjes liep direct achter een bomenrij en struikgewas naar de eenvoudige volksbuurt die we in mijn tijd 'Mattheus-van-het-laatste-oortje' noemden, en zo heette het daar vermoedelijk nog steeds.

Toen we het buurtje naderden, realiseerde ik me voor het eerst hoe goed bekend ik hier eigenlijk lang geleden was geweest, wat een goede vrienden ik ook hier had gehad en hoe alles tussen mijn kinderjaren en de huidige dag hier lag opgebaard.

Mijn hemel, en Störzer ook! ging het door me heen. Die ook! En daar wou je zomaar aan voorbijlopen? Die inval kwam werkelijk nog net op het juiste ogenblik. Wat ik na de treurige mededeling in De Brompot had nagelaten, kon ik nu immers nog goedmaken door de ouwe trouwe vriend een bezoek te brengen. Hij was in zijn leven vijf keer om de aarde geweest zonder van huis te zijn weggekomen: nu kon ik, zelf door het leven zo ver van huis gebracht, toch nog één keer in het voorbijgaan bij hem aanlopen en misschien op het uiteinde van zijn kist de hand op zijn vermoeide voeten leggen.

Ik greep mijn gids bij de arm.

'Heinrich, er schiet me iets te binnen! Het is hier vlak in de buurt. Daar ligt zijn huis —'

'Het huis van wie?'

'Ja, je hebt gelijk met die vraag. De mens betrekt altijd alles maar egoïstisch op zijn eigen gedachtegang. Het schoot me net te binnen dat mijn oude, voormalige kameraad, mijn vriend van de landweg, Fritz Störzer, daarginds achter dat groen ligt opgebaard. Als het je geen al te grote omweg is, Heinrich, laten we hier dan even afslaan. Nu die oude tippelaar eindelijk zijn rust heeft gevonden, wil ik hem toch nog een bezoek brengen. Wat jij me straks nog te vertellen hebt, is me weliswaar nog onbekend; maar hoe grimmig jouw oplossing van het mysterie ook mag zijn, voor een stukje kalmerend medeleven kan ik op het ogenblik het beste daar terecht.'

'Wie weet, Eduard. Hé, ja, dat is inderdaad zijn schoorsteen daar achter die boomkruinen. Die brave Störzer! Welnu, tijd voor wat je mijn oplossing van het mysterie noemt, hebben we straks nog genoeg, en een grote omweg naar die goeie ouwe baas is het ook niet bepaald. Ik sta geheel tot je beschikking.'

Zo keerden we de wal de rug toe, maar op het laatste moment moesten we nog een echtpaar met dochters te woord staan dat een avondwandeling maakte langs de ring en de dikke Schaumann staande hield met de verwonderde vraag: 'Gunst, u hier in de stad, wat verschaft ons de eer?'

'Ach, niets bijzonders,' antwoordde Oliebol gemoedelijk. 'Ik weet eigenlijk zelf niet waar ik dit aan te danken heb.'

Het was maar goed dat we net op de splitsing naar het minst respectabele gedeelte van de stad waren aanbeland, het gezelschap was anders maar al te graag een stuk met ons mee op gewandeld: de ontmoeting was immers maar al te interessant! —

In zulke buurten, waar anders dan in grotere steden de sfeer allerminst kil of onguur is, wemelt het altijd van de kinderen. Die bevonden zich op deze mooie avond natuurlijk allemaal buiten op straat en in de doodlopende steegjes. Ik voelde een diepe ontroering bij het idee hoe lang en tegelijk ook weer kort geleden het was dat ook ik, onder de ogen van Störzer, hier de goten had afgedamd en de mensen de weg versperd. En nog altijd stonden de moeders er met hun jongsten op de arm in de huisdeur en nog altijd rook het er naar eierpannenkoeken en geitenstallen en nog altijd werd er sla gewassen. Eigenlijk is de symbolische begeleider van de evangelist Matheus een tamelijk imposante engel, maar in het Sint-Mattheuskwartier was en is dat niet het geval. Daar geldt als zodanig het varken, als huisdier de voornaamste zegen van de 'kleine man', en je hoorde het behaaglijke knorren uit een nabije of verderaf gelegen stal. Het leek er ook naar te ruiken, maar flessen parfum of iets dergelijks hebben in het Sint-Mattheuskwartier niets te zoeken, vooral in een tijd waarin ook de pronkbonen nog bloeiden, rood, het mooiste rood op aarde, een wonder van schoonheid en nut, zoals ze tussen de huizen van de kleine man over de hekjes hangen of daarachter langs zijn staken omhoog ranken. Maar voor dat alles moet je kunnen ruiken, zien en voelen; en wie dat niet kan, die moet maar amateurfotograaf worden. Het is echter niet nodig dat hij zichzelf vereeuwigt, ik heb er in Zuid-Afrika mijn album al vol mee, en de dikke Schaumann op zijn Schans Quakatzburg het zijne al evenzeer. —

Over de stilte 's avonds in de openlucht heb ik al geschreven; maar het vredigste landschap straalt lang niet die rust uit van zo'n steegje na gedane arbeid bij de 'gewone man' (zoals dat tegenwoordig heet) of 'achter de wal', de stadsmuur namelijk, zoals men in de Middeleeuwen zei. En ik had ook ooit hier thuisgehoord, achter de rug van mijn ouders en in bescherming genomen door mijn goede vriend Fritz Störzer, en mijn hart ging open en kreeg weer een steek bij het gevoel hoezeer dat alles voorbij was, en als wat voor held ik hier nu weer terugkom en met wat voor een zak vol ervaringen en verworvenheden op mijn rug!

We liepen nu de hoek om het doodlopende straatje in waar het huisje stond dat ik nog zo goed kende; en daar stond me ook nu weer te wachten wat me hier als kind al dikwijls een niet onaangenaam griezelgevoel had bezorgd: ergens naar binnen kijken waar een doodskist in het portaal staat.

Alles nog als vroeger! Alleen nog een beetje meer gekrompen: het kleine pleintje nog poppiger, de huisjes lager, de vensters nog gedrongener, de huisdeuren smaller.

En ze verdrongen zich allemaal weer eens voor een huisdeur, de kinderen en de vrouwen met kinderen op de arm, de oude vrouwen en twee of drie oude mannen, de laatsten met hun avondpijpje in de mond: want er stond weer eens een doodskist in het portaal!

Ze keerden ons allemaal de rug toe en weken verbaasd opzij toen wij over hun schouders ook door die deuropening wilden kijken. Maar ze verbaasden zich nog veel meer toen we ook nog naar binnen gingen.

Er scheen behalve de oude Störzer niemand thuis te zijn, en ook die sliep, rustig in zijn nauwe, zwarte behuizing die daar op drie stoelen rustte, met naast hem op een vierde stoel de kaarsen die morgenvroeg bij de eervolle begrafenis moesten worden aangestoken. Dat mijn goede vriend, die trouwe, vermoeide wandelaar ook onder de bloemen en kransen lag, spreekt vanzelf. Dat kostte in dit jaargetij in het Mattheuskwartier helemaal niks en de buurtgenoten waren graag bereid op die manier hun medeleven te betuigen.

Er stond nog een stoel in het portaal, waarop de huiskat ernstig naar al die oude en jonge gezichten in de deuropening zat te kijken.

'Oei!' zuchtte Oliebol, 'ik heb mijn energie toch een beetje overschat. Zwoel en heet!' Hij lichtte zijn strooien hoed van zijn voorhoofd en depte zijn glimmende, bezwete schedel met een zakdoek. 'Neem me niet kwalijk, Eduard,' zei hij, en hij tilde de stoel bij een armleuning op, liet het dier eraf glijden en ging er zelf op zitten: 'Een momentje, Eduard, zo meteen ben ik weer je man.'

Dat of iets dergelijks zei hij, terwijl ik daar stond, en niet echt wist wat ik moest zeggen, vooral vervuld van de min of meer sombere gevoelens die bij zulke gelegenheden de overhand krijgen.

'Fritze Störzer! De oude Störzer!'... En ik deed wat ik me eerder had voorgenomen: ik legde mijn hand op de plek waar de voeten rustten die, zoals de heren in De Brompot hadden uitgerekend, vijf keer de wereld rond waren geweest. Oliebol wuifde zichzelf nog steeds met een zakdoek koelere lucht toe.

Maar de mens heeft de behoefte bij zulke gelegenheden toch iets zeggen.

'Het lag niet aan jou, maar jij bent toen nou eenmaal onder je heg blijven liggen, Heinrich!' zei ik, 'terwijl *ik* met hem ben meegegaan, gelopen, samen met hem zijn grote troost, Levaillant, heb bestudeerd! En als er iemand geweest is die mij vanuit zijn eigen loopbaan de mijne heeft opgeduwd en mij naar Afrika heeft gekatapulteerd, dan is hij het wel, mijn goeie, ouwe vriend, mijn oudste vriend, Friedrich Störzer. Hij ruste in vrede!'

'Amen!' zei mijn vriend Heinrich Schaumann, weer opstaand. 'Nou en of! Laat mij hem dat maar toewensen — vanonder mijn heg vandaan! Hij was niet een van de ergste reisgenoten. Hij was een halvegare, maar hij was een brave, goeiige kerel. Goed dan: rust voor mijn part ook in vrede, jij grijze zondaar, oude globetrotter en ervandoorganger! Maar laat mij er verder ook buiten en regel de zaak nu maar daarboven onder jullie drieën: Kienbaum, Störzer en Quakatz!'

Hij had een vuist gebald, maar legde hem even zacht op het hoofdeinde van de kist als ik de mijne op het voeteneinde.

'Wat?' vroeg ik, ineenkrimpend, en Schaumann zei: 'Ja.'

De kapitein beweert dat hij sinds hij op zee voer nog nooit zo'n rare snuiter ('gentleman' zei hij op zijn Engels) aan boord heeft gehad als ik. Hij was speciaal naar beneden gekomen om me mee naar boven te nemen om me aan de lijzijde de bergen van Angra Pequeña te laten zien en ik had alleen maar geantwoord 'Kom er zo aan' en was vergeten te komen en had de brave man zelfs niet laten weten dat ik die bergen al kende. —

Ik wou zijn hand pakken (niet die van de kapitein, maar

die van Oliebol), toen Heinrich me waarschuwend toeknikte en met zijn duim kort naar opzij wees. En ik zag dat we inmiddels niet langer met zijn tweeën meer bij de kist stonden.

Er was een vrouw, ook met een kind op de arm en een ander kind aan haar schort, uit de kamer gekomen, die stond daar met een betraand gezicht, verlegen en verwonderd, en zei: 'Dag, heren! Dat is toch meer dan vriendelijk van u. Ja, daar ligt vader nu! En hij is altijd zo goed voor ons geweest! U ken ik wel, ook door uw lieve vrouw, meneer Schaumann; maar die andere heer, die ons in ons verdriet ook de eer bewijst, heeft die hem ook gekend, onze lieve grootvader?'

'Jazeker, lieve mevrouw Störzer. Nee, maak u niet druk, u bent hier pas later ingetrouwd: deze meneer heeft indertijd uw schoonvader heel goed gekend, zij het niet zo goed als ik. Dat is uw kindje daar op uw arm, de kleinzoon? En hier aan uw schort de kleindochter?'

'Jaja, beste heren, en wij drieën zijn nu helemaal alleen overgebleven en weten in onze ellende nog niet hoe het met ons verder moet, nu opa er niet meer is. Wie had dat nu zo snel voor mogelijk gehouden? Hij was nog zo goed ter been! Hij had nog best een paar jaartjes te voet kunnen afleggen in zijn beroep! Hier in de buurt waren ze altijd even verbaasd dat hij steeds maar weer zo fit als een jonge kerel op pad ging.'

'En dat kan op die leeftijd niet iedereen van zichzelf beweren, dat is toch ook een troost, goede vrouw; en voor de toekomst moet u zich toch geen zorgen maken, zo'n pronte, jonge vrouw — met alleen maar één kind op haar arm en één aan haar schort! U slaat zich er wel doorheen, en in geval van nood zijn er anderen om u te helpen. Wat is hij voor dood gestorven, mevrouw Störzer?'

'Ja, godzijdank tenminste dat wel, een heel goede... Veel geleden heeft hij niet, zegt de dokter. En dat is hem ook gegund, want er was niets dat zijn geweten in de weg zat. Maar dat juist u de goedheid heeft om hier bij ons aan zijn laatste rustbed afscheid te nemen, dat lijkt me welhaast zo voorbeschikt, meneer Schaumann. Namelijk juist bij u, meneer Schaumann, of op de Rode Schans, heeft hij in zijn laatste dagen en uren regelmatig vertoefd. Hij wou voortdurend maar naar de Rode Schans toe; daar had hij nog iets belangrijks af te geven. Daar had hij het aldoor over, en over iets wat hij bij u moest afgeven, tenminste bij uw schoonvader zaliger, bij wijlen meneer Quakatz, over wie, nou ja u weet wel, en u zult het me niet kwalijk nemen, zoveel te doen is geweest. We konden praten als Brugman, hij bleef erop hameren dat ie naar de Rode Schans toe moest om daar nog iets af te geven tegen een ontvangstbewijs. Maar dat waren ook zijn onrustigste waandenkbeelden, en daarbij is ie ten slotte, zonder dat iemand het gemerkt heeft, zacht ingeslapen.'

Heinrich haalde zijn schouders op, keek me aan en wierp een blik op de kinder-, vrouwen- en ouwemannetjesgezichten die in de deuropening naar de kist loerden.

'En, wat vind jij, Eduard? Hij zal er niet van wakker worden: moet ik nou de hele straat en de hele wereld hier naar binnen roepen aan zijn hoofdkussen? Moet ik nu zelf hier ter plekke *ore rotundo* het geheim bekendmaken? Of is er ergens nog een passender mededelingsorgaan te vinden? Of — misschien — wil jij zelf —'

Ik hoefde niet te antwoorden, zelfs al had ik het gekund. De man van de Rode Schans pakte mijn arm, sprak tot de schoondochter van de overledene nog een paar troostende woorden met betrekking tot de groentetuin, de boter- en eierenhandel van de Quakatzburg, aaide de kleinkinderen over hun bolletje, en zo stapten we de buitendeurse wereld weer in, baanden ons een weg door de kijklustigen, zonder dat de avondhemel boven het Mattheuskwartier er een traan om wenste te laten.

Ja, ikzelf! Pas in de volgende steeg vroeg ik, ontwakend

uit mijn verdoving na het instorten van mijn halve wereld: 'Wat nu? Waar nu naartoe? Wil je mij naar mijn hotel begeleiden, Heinrich?'

'Naar je hotel? Hmm! Weer in een privévertrek aldaar? Hm, hm! Weet je, Eduard, ik ben al zo lang niet meer uit de ark gekomen, heb sinds jaren niet meer in zo'n echte, eerlijke kroeg gezeten: ik had het veel te gezellig als stamgast bij mijn oude meisje thuis, onder onze bomen, voor de kachel, achter onze vestingwal, kortom: in de ark! Maar nu voel ik echt de behoefte met mijn ellebogen op zo'n tafel langs de berm te leunen en het leven door de grote gelagkamer en over de publieke weg te zien voorbijkomen. Kom, ouwe jongen, laten we voor je afscheid neemt en vertrekt, nog een keer samen in De Gouden Arm gaan zitten!'

Ik zag nog steeds alles als door een waas: de steegjes, de mensen die naast ons liepen of die we tegenkwamen, hoorde de stemmen, het ratelen van de wagens als in een droom en bevond me plotseling werkelijk aan een tafel aan het raam in De Gouden Arm, terwijl ik Oliebol puffend zag plaatsnemen en hem herademend hoorde zuchten: 'Hè hè!' En even later: 'Ja, ja, als Barbertje niet moet hangen, wie dan wel?'

Omstreeks dit uur van de dag was het in een zo solide stad als de onze nog leeg in de gelagkamer van De Gouden Arm, op het meisje aan de tap na, de zomerse vliegen, de voor de avond blank geschuurde lindehouten tafels, de stoelen en banken, de grote kranten van gisteren plus het huidige avondblad van de stedelijke pers. We waren zo vroeg dat het dienstertje heel verbaasd opkeek toen we binnenkwamen. Maar ook hier bleek de dikke Schaumann van de Rode Schans toch persoonlijk goed bekend te zijn, zonder dat hij zijn bolwerk vaak had verlaten om voet te zetten in de grote wereld.

Heinrich werd natuurlijk door de jongedame bij zijn naam begroet en terwijl zij onze bestelling in ontvangst kwam nemen, informeerde ze tevens beleefd hoe het met mijn vriend was gesteld.

'Lief kind, eerst iets koels, dan de warme belangstelling. Vroeger werd er ter ere van de dikke Schaumann altijd een nieuw vaatje aangebroken!'

'En dat is ook nu weer het geval. Alsof we op uw komst hadden gerekend, meneer Schaumann.'

Er kwam een prima lafenis. Oliebol tilde de pul op, inspecteerde kleur en schuimkraag, zoog, liet hem weer zakken en gaf hem geleegd en wel weer terug, kneep daarbij het meiske waarachtig in haar wang, alsof hij hier nog steeds elke avond als stamgast kwam. Daarbij noemde hij haar zijn 'lieve moppie'. Het nat bleek zijn onverdeelde goedkeuring weg te dragen.

Na nog wat schertsende opmerkingen over en weer wendde hij zich met een ruk weer tot mij: 'Maar om op onze zaak terug te komen, beste Eduard.'

Het meisje begreep de wenk, trok zich met haar breikous terug in haar donkere hoekje achter de tapkast en richtte alleen van tijd tot tijd even haar hoofd op om te kijken of we nog wensen hadden. Wij, zo tegenover elkaar, aan het open raam, met de ellebogen ouderwets op tafel en de bierpul voor ons, hadden hier Quakatzburg, Mattheus-van-het-laatste-oortje, het Duitse volk en de hele wereld lang genoeg voor ons alleen.

'Dit is toch werkelijk de prettigste manier en in elk geval stukken beter dan ik het me in mijn wat al te verhitte fantasie soms heb voorgesteld,' bromde mijn vriend. 'Je zult het misschien niet geloven, Eduard, maar het is toch zo: ik heb me er vaak het hoofd over gebroken op welk uur van de dag, op welke plek en met wie ik het liefst over, over, nou ja, Barbertje zou spreken. Alles blijkt toch, blijkt toch gewoonlijk veel makkelijker dan je het in je benauwenis inbeeldt. Dit tijdstip bevalt me buitengewoon, deze plek idem dito, en dat kind daar achter de tapkast kan hier ook alleen maar door de hoogste voorzienigheid zelve zijn neergezet.'

'Heinrich?!'

'Eduard?... Nu verzoek ik je echter dringend, Eduard, jezelf nu verder alleen maar te beschouwen als achtergrondkoor in de tragedie. Morgen kun je voor mijn part rechtstreeks naar Kafferland vertrekken en daar het verhaal met zoveel strofen en antistrofen bezingen als je maar wilt; ik van mijn kant denk toch alleen maar: heb ik die goeie, ouwe kerel voor straks op het schip toch nog een leuke herinnering aan zijn oude, gezellige thuisland kunnen meegeven.' Ik kon alleen met een matte handbeweging antwoorden; Oliebol wierp nog een blik in het straatje en eentje achter de tapkast en zei: 'Van alle mensen op aarde die op deze wrede en verschrikkelijke geschiedenis af zijn gekomen en er van alle kanten aan hebben gesnuffeld en zich het hoofd erover hebben gebroken, had ik naar recht en billijkheid de laatste moeten zijn die wordt opgezadeld met het voorrecht de ware toedracht voor een geschilderde coulisse met een handorgeltje in het openbaar te mogen verkondigen. Vind je ook niet, Eduard?'

'Wat nou, wat nou! Jij, de man en de veroveraar van de Rode Schans, de beschermheer en troostbrenger van de arme Valentine, de rechtsopvolger, jawel, de rechtsopvolger van boer Quakatz!'

'Ach wat, ik bedoel natuurlijk qua karakter en lichamelijke aanleg, mensenkinderen! Ik had zowel met de een als met de ander daarmee niets van doen. Wat had de dikke Schaumann voor en op de Rode Schans te maken met de moord op Kienbaum en met zijn moordenaar, voor wat betreft de juridische oplossing van het probleem? Niets! Helemaal niets! Welnu, het lot heeft het zo gewild en ik kan daar niets anders tegen doen dan tenminste de manier waarop zelf te bepalen en te kiezen. En als die de hoogste voorzienigheid en de Opperrechter niet dramatisch genoeg voorkomt, dan is dat niet mijn schuld. Nou ja, als Meta daar achter de bar het nog niet helemaal doorheeft, dan zou een zekere poëet uit Stratford dat vast en zeker wel doen en ter plaatse besluiten mij een wat dramatischer rol te verlenen.'

'Riep u, meneer Schaumann?' klonk het over de tapkast vanachter de kast met glazen. 'Kan ik wat voor u doen?'

'Nee, schat. Nu nog niet, maar gauw genoeg. Blijf in elk geval in de buurt: we hebben je zeker nog nodig, want zonder jou krijg ik alles niet op een rijtje.'

'Ik blijf hier mooi zitten en luister met allebei mijn oren.'

'Mooi. Je bent een goeie meid. Afijn, beste Eduard, wij, mijn vrouw en ik, hebben je daarstraks een dag lang onder onze bomen en achter de wal van prins Xaver van Saksen het een en ander verteld over de laatste jaren van onze oudeheer, onze vader Andres, en je zult daaruit hebben begrepen dat het ons streven is geweest het hem zo behaaglijk mogelijk te maken. Dat is ons godzijdank, voor zover het mogelijk was, gelukt. Die taak lag, zowel wat mijn lichamelijke als mijn geestelijke constitutie betreft, meer in mijn lijn, zoals de eeuwige gerechtigheid vermoedelijk al had begrepen. Daartegen had ik ook geen enkel bezwaar. Ik leg net zo graag een ander een kussen onder het hoofd als mezelf, al helemaal als het de vader van mijn vrouw, of anders gezegd, mijn schoonvader is. Aan de landbouwerij wilde ik me uiteraard zo min mogelijk vertillen. Onze-Lieve-Heer was zo vriendelijk ervoor te zorgen dat de beste suikerbieten van de hele omgeving groeiden op onze grond. En dus verpachtte ik mijn akker grotendeels gunstig aan de eerste de beste suikerfabriek en ploegde op de rest van Tientjes erfgoed persoonlijk niet méér om dan wat mijn boerenmeisje gewoonlijk leuk en aardig vond. Je Afrikaanse kolonistenoog zal je hebben laten zien, Eduard, dat het er tegenwoordig helemaal zo slecht niet uitziet, zowel op de Rode Schans zelf als eromheen. Ik maak er trouwens helemaal geen geheim van dat mijn schoonvader, boer Andreas

Quakatz ook afgezien van zijn grondbezit een vermogend man was, dat hij geld had, waar die het ook vandaan mocht hebben, van de vermoorde Kienbaum of van een ander.'

Uit de hoek kwam haastig een vrouwenhoofd tevoorschijn.

'Ja, het is goed, schatje, kom hier en schenk maar in. Meneer daar ook nog een glas,' zei Oliebol. 'Hij, Eduard, de oude Andres bedoel ik, wist alleen niet zo goed wat hij met de Mammon moest beginnen, hooguit dat hij er de zakken mee vulde van de advocaten die hij had ingeschakeld. Verder plantte ik er een bezem naast met het briefje: "Laat de doden de doden begraven. In andere zakelijke aangelegenheden wende men zich tot Heinrich Schaumann, rentenier. Spreekuur na afspraak." Dat het me op de Rode Schans dik meezat, was tot in de wijde omgeving bekend, zodat ik niet hoefde te verwijzen naar de schertsnaam Oliebol waar jullie me mee hadden bedeeld. Maar om me tot de echte baas van de Rode Schans te bepalen, die was dat alles zozeer in de botten gaan zitten dat ik hem warm kon maken voor de paleontologie. Ik nam hem mee naar buiten. Met zijn stok, op krukken, in de rolstoel nam ik hem mee naar mijn steen-, kiezel- en mergelgroeves en overtuigde zijn arme, verdwaasde brein ervan, dat dit knekelzoeken nauw samenhing met de suikerraffinaderij en dus ook met het stijgen en dalen van onze fabrieksaandelen. Had ik hem als domme jongen door mijn Latijn geïmponeerd, nu imponeerde ik hem met paleozoölogie en paleophytologie. Tientje, die als mijn Eva allerminst uit een mannenrib geschapen wilde zijn en daarom mijn hobby eigenlijk belachelijk moest vinden, kon er dit opzicht toch waardering voor opbrengen, ja, het ontlokte haar tranen, tranen van ontroering. Toen wij onze oertijdluiaard hadden gevonden en haar papa als een kind zo blij handenwrijvend in zijn leunstoel zat te kirren, sprak ook zij van een schat van een beest en vond het geweldig en ruimde haar beste linnenkamer leeg om het monster een waardige plek te geven om hem te bewaren. — Wat zal ik je er verder nog over zeggen, Eduard? We hielpen onze vader zo goed mogelijk door zijn laatste levensjaren en hielden, op doktersvoorschrift, Kienbaum zo ver mogelijk van hem vandaan. Als ik mij in alle bescheidenheid mag prijzen, dan zeg ik: ja, ik ben er trots op en mag er trots op zijn dat ik aan die vervelende nachtmerrie een einde heb gemaakt, dat ik dit spookbeeld de dorre keel heb mogen indrukken en met mijn knieën de rottende borstkas mocht verpletteren, dat het de dikke Schaumann was die het geraamte tot stof wreef. Dat andere geraamte echter, dat van ons aller vriend Magere Hein, kon ik niet buiten de Rode Schans houden. Die vrat boer Quakatz op, zoals het prins Xaver van Saksen had opgevreten, om van Kienbaum nog maar te zwijgen. En als ik van mijn kant toch nog eens een wal daartegen had kunnen opwerpen: wie weet of ik het wel gedaan had? Het was toch een soort bevrijding toen we de oudeheer met het laatste, zware dekbed van goede schansaarde toedekten. Hijzelf heeft zich vermoedelijk zijn hele leven lang geen lichter dek over zijn hoofd getrokken en hij geniet daaronder in elk geval ook heden nog zijn zoete slaap, na alle nare dromen die hem de zogenaamd heldere, zonnige dagen van zijn aanwezigheid in de presentie- en belastinglijst van het mensdom hadden beschoren. We begroeven hem in Maiholzen op een prachtige zomerochtend, in alle vroegte. Het dorp was natuurlijk bij de teraardebestelling voltallig aanwezig; maar we hadden ook personages uit de stad onder ons. Bijvoorbeeld was er deurwaarder Kahlert, die in de heilige vroegte in ambtelijke aangelegenheden bij ons buiten was verschenen, verder het jong van kleermaker Busch die de nieuwe broek van onze predikant was komen brengen waarin, zoals ik je zo meteen zal verklappen, onze geestelijke herder mijn rede hield. Dan was er juffrouw Eyweiss, die door haar bronwaterkuur tot ons was gekomen en die haar Karlsbaadse bronnenkruikje op een van de dichtstbijzijnde grafstenen had gezet om zich ongehinderd te kunnen wijden aan haar aangename ontroering ten overstaan van dit altijd interessante gebeuren. Ook plattelandspostbode Störzer, die beroepshalve al onderweg was, zag ik onder degenen die zich rondom het graf hadden verzameld. Meta, bent je daar nog? Wrede schoonheid, wil je nu echt de dikke Schaumann van de Rode Schans hier van de dorst laten omkomen?'

'O god, jaja, ik kom al! Ach, zoals u dat allemaal vertelt, meneer Schaumann, dan moet je wel blijven luisteren!'

'Nietwaar, kind...? Welnu, Eduard, aangezien ook jij nog altijd luistert: als er ergens ter wereld één man is, behalve jij natuurlijk, met wie ik altijd goed overweg kan, dan is dat mijn belendende predikant zielzorger, de dominee van Maiholzen. We vallen elkaar nooit lastig, maar we handhaven de vredige co-existentie op de allergemoedelijkste manier. Hij heeft in alle menselijke aangelegenheden waardering voor Oliebol, en ik voor hem. Natuurlijk was ik de dag ervoor, dat wil zeggen, voor de begrafenis, bij hem om de zaak door te spreken. Hij bleek aan zijn dakgoot te hangen. Een van zijn bijenvolken was gaan zwermen en de verkenner was op het idee gekomen zich daar te vestigen. Ik hield voor de op een na dikste man van de streek zijn ladder vast en bracht vervolgens in het prieeltje wat verbeteringen aan in zijn manuscript. Dit laatste meer bij wijze van spreken: de man spreekt voor de vuist weg en — goed ook, als hij in de juiste stemming is. En tot die stemming kan de naaste medemens in aanzienlijke mate bijdragen. Dat deed ik, en toen we later op de warme avond met weerlicht aan de horizon bij zijn tuinpoortje afscheid van elkaar namen, zei hij: "Wees gerust, buurman; ik ben het helemaal met u eens." De volgende ochtend sprak hij dan ook vrijwel precies datgene wat ik te zeggen had. Ik schraapte mijn keel — nee, hij schraapte de zijne en sprak:

"Ziehier, christelijke gemeente, daar ligt hij: zo dood als een pier."'

'O god, meneer Schaumann, dat kan onze dominee toch niet gezegd hebben!' klonk het vanachter de tapkast.

'Ik ben erbij geweest, kindlief — "Dood is hij, jullie in leven. Hij is zo dood als Kienbaum, die hij volgens de meesten van ons zou hebben doodgeslagen. Hij staat nu voor de Rechter die het laatste woord in deze duistere affaire zal spreken; zouden we ons hier op deze plek, nu dan op zijn minst niet toch wat meer moeten bezinnen en ons afvragen: hebben we die stille man hier voor ons niet toch misschien te veel stenen des aanstoots in de weg gelegd? Christelijke gemeente, lieve broeders en zusters, hebben we misschien niet toch wat al te luidruchtig om wraak geroepen? Als hij daar nu tegen zijn zwarte deksel zou kloppen en nog één keer voor heel even maar eruit zou willen, om ons het verdict des Heren zwart-op-wit toe te steken, wat zouden we dan doen? O, lieve broeders en zusters, bij het bruiloftsmaal van het vereerde paar dat aan zijn verlies het zwaarst te dragen heeft, zijn vrijwel alle hier aanwezigen te gast geweest; maar ik zou willen dat ten minste een paar van u eergisteravond met mij mee naar de Rode Schans waren gegaan en het vredige gelaat van de zojuist ontslapene hadden kunnen aanschouwen. Ik zeg u, dan hadden er enkelen die al eerder het oog op zulke gezichten moesten laten rusten, vast en zeker gezegd: Deze moet ondanks alles een zachte dood zijn gestorven! —

Christelijke gemeente, als hij Kienbaum nu toch eens niet zou hebben doodgeslagen?... Had hij dan voor zijn laatste Rechter niet het volste recht van spreken gehad? Ik denk dat hem dat niet geweigerd zou zijn; en zoals ik hem ken (hij was geen teerhartig man) heeft hij gesteund: 'Heer, Here God, wat ik verder zoal gezondigd mag hebben, daarvoor hebben ze me daarbeneden al uitvoerig laten boeten door te doen of ik lucht was, door hun scheve blikken, hun priemende vingers, door niet naast me te komen zitten in de kroeg en me in de steek te laten als ik thuis hulp nodig had. Als ik nu als een gekwelde, in zijn onmachtige woede verstokte man tot U kom, Heer van hemel en aarde, trek dan van mijn straf in het eeuwige leven mijn aldagelijkse en alnachtelijke boetedoening daarbeneden in de sterfelijkheid af, barmhartigste God. En vergeef ook hen in Maiholzen en omgeving alles wat ze op hun arme mensenmanier mij hebben aangedaan.' — Lieve broeders en zusters, wij weten tot op dit uur nog geen van allen wie nu eigenlijk Kienbaum heeft doodgeslagen. Boer Andreas Quakatz van de Rode Schans is dood en heeft rekenschap over zijn leven afgelegd; maar misschien, christelijke gemeente, ik zeg misschien! — loopt er nog een ander in het leven rond als een levend voorbeeld van wat een mens te dragen heeft met een bloedige moord op zijn geweten en met dag en nacht het bewustzijn een ander, een onschuldige, daarvoor te laten opdraaien. Als dat het geval is, als Kienbaums moordenaar nog leeft, dan — o dan, christelijke gemeente — laat ons ook voor hem, hem — hier bij dit graf een stil gebed spreken zoals voor de tot rust gekomen dode in deze kist aan onze voeten! Tegen de twee voornaamste getroffenen, vooral de dochter, zeg ik nog: 'De Here sprak: ween niet, en gaf hem aan zijn moeder.' Maar wie van ons, geliefde broeders en zusters, nog over het graf heen, jegens boer Quakatz op de Rode Schans, zijn nakomelingen en zijn erfgenamen zijn erge gedachten wil blijven koesteren, hij late deze schop rusten waarop ik nu mijn hand leg. Dit graf wil niet met diens hulp worden gedicht."'

'Amen! O god, o god!' werd er achter de tapkast gemurmeld.

'Vervolgens was het de beurt aan het tussen de overige liturgische formules nooit zijn uitwerking missende: "Stof zijt ge en tot stof zult ge wederkeren," en de schoppen gingen van hand tot hand met een bange haast, met een ijver zoals ik daar in dergelijke gevallen nog nooit getuige van had kunnen zijn. Allemaal wierpen ze de kwalijkst beruchte man van de hele omgeving de drie scheppen moederlijke aarde na. Allemaal, op één na! — Je hoorde het bekende doffe gestommel en de bijbehorende gevoelens, de laatste ditmaal in versterkte mate. Het was alsof iedereen bij het scheiden van de markt toch nog vrede wou sluiten met Andreas Quakatz. Ze wilden misschien ook wel een beetje het dorp Maiholzen rehabiliteren in het aanzien van de Rode Schans. Ik, als degene die nu het dichtst bij het oude bolwerk van prins Xaver van Saksen stond, kreeg van de doodgraver natuurlijk het eerst de schop aangereikt en deed de drie scheppen. En nu weet ik werkelijk niet, beste Eduard, hoe het kwam dat ik bij de derde zo'n beetje in mezelf mompelde: "Voor Kienbaums moordenaar." Ha, goedenavond, meneer Müller!'

De groet gold een wandelaar buiten onder het raam, en deze bleef verwonderd staan: 'Hé, Schaumann, ook weer eens op je ouwe trouwe stek? Wel, heel goed van je. Nou, hou een plaatsje voor me bezet; ik denk dat onze stamtafel over een halfuurtje vrijwel compleet bij elkaar is.'

'Ik gaf de schop aan degene die het dichtst naast me stond en keek in een uiterst merkwaardig gezicht. De schop had ik evengoed in de lucht kunnen houden. Hij viel op de grond en werd pas door de volgende in de opdringende rij, de dorpssecretaris, opgepakt. Degene voor wie mijn hoffelijke gebaar was bedoeld, was onder het volk, dat wil zeggen, onder de vrouwen en kinderen, teruggedeinsd en had waarschijnlijk mijn gebaar en de hoffelijkheid daarvan niet eens opgemerkt. Maar door mij flitste het op dat moment: Wat is dat, wat gebeurt hier? en toen: Ben je gek, Oliebol, of heeft dit werkelijk iets te betekenen? — Niemand behalve ik, ook mijn vrouw niet, in de kring om het graf van de boer van de Rode Schans, had gemerkt dat er zojuist iets bijzonders was gebeurd, dat iemand met het kaïnsteken geweigerd had de dode zijn drie scheppen mee te geven.'

'Meneer Schaumann!' klonk het vanachter de tap, en ik hoorde ondanks mijn eigen opwinding hoe het meisje de handen ineen sloeg.

'En jij, jij, Heinrich, wat deed jij?'

'Ik? Ik bracht eerst mijn vrouw naar huis. Voor zo'n arm schaap is het werkelijk geen doen om daar zo blind, verdoofd, verbijsterd door alle tranen heen in zo'n kuil op de met aardkluiten bedekte kist te moeten turen en er lang te moeten blijven staan. Ik moest toch het allereerst tegen haar die dingen zeggen waarop je tegenover je liefste schat onder zulke omstandigheden aan kerkhofgemeenplaatsen bent aangewezen. Maiholzen schoot me daarbij overigens zeer welwillend te hulp. Ze wilden ons allemaal via het nauwe paadje tussen de graven de hand schudden, en sommigen kwamen ook om te zeggen: "Meneer Schaumann, laat nu met goedvinden van u en uw vrouw, alles vergeven en begraven zijn. Het is toch ook precies wat dominee zojuist zei: al te scherp mag niemand een ander veroordelen, en alles bij elkaar genomen had de overledene toch ook zijn goede kanten, en menigeen had daaraan een voorbeeld kunnen nemen." Daar antwoordde ik dan beleefd op, en toen overschreden Tientje en ik godzijdank weer de vestingwal van meneer de graaf van de Lausitz en waren we dus weer in onze schans, en de wereld lag buiten, en in het huis was het stil en koel onder de bomen. En de honden kwamen, en in hun ogen lag een zeker verwijt dat ze niet mee hadden gemogen naar het graf — uitgerekend zij!

En Miezepoes kwam en schurkte teder tegen mevrouw Valentine Schaumann aan, geboren Quakatz. En Valentine zonk in de schemerige eetkamer neer op een stoel en snikte het nog maar eens uit. Maar de halve schemering en de koelte bleken toch ook haar goed te doen na het schelle, hete licht op het kerkhof —'

'En jij dan, en jij — jij?'

'Ik? Wel, wat kon ik anders doen dan haar laten uithuilen en haar van tijd tot tijd zacht op haar rug kloppen? Toen ze eindelijk de keuken in werd geroepen, stopte ik natuurlijk een pijp en dacht na.'

'Je dacht na?'

'Wat moest ik anders doen? Waarop is een mens die men onder de heg heeft laten liggen anders aangewezen? Voor alles kalm blijven, zei ik tegen mezelf. De tijd nemen, Oliebol, en je verstand erbij houden, dikke!... Ja, wat was dat nou? Heb je daar echt iets gezien? Hij...? Hij? Dat brave oude keurige baasje? Het is eigenlijk al te gek, en je begint aan jezelf te twijfelen hoe meer je erover nadenkt. Primitief en goeiig genoeg dat ie eruitziet; maar dat speelt geen rol bij zulke types. Hm, de kraanvogels van Ibykus boven de dorpskerk van Maiholzen? Wat zou het zijn als een schep aarde minder in de kuil je genoopt had de wereld luidkeels te verkondigen: Hier is hij! Dat is hem! Sleep hem voor de rechter! — — Hm, hm, maar uitgerekend hij? Dat is belachelijk! Typisch zo'n ochtendzon-kerkhofs-spookbeeld! Verder niks, dikke Schaumann!... Maar dan weer: je hebt toch verdorie iets gezien en niet alleen gezien, maar ook gevoeld. Vanwaar opeens dat weeë gevoel in je maag, vanwaar dat zoemen en klokkengelui in je oren en opeens die scherpe, klare schok in je hersens: Daar, daar, daar! Nu, nu, nu?... Zou zich niet ook eens onder jouw speklaag iets aankondigen wat — nou ja, dat was toch iets om over na te denken; gelukkig ging ondertussen mijn pijp uit en ik moest hem opnieuw aansteken.'

'Je moest hem weer aansteken?'

'Dat heb ik namelijk al vaak zo ervaren, dat je in totale innerlijke verwarring, als je gedachten radeloos alle kanten opgaan, het beste maar gewoon opnieuw je uitgedoofde pijp kunt aansteken. De lucifers heb ik gewoonlijk bij de hand, maar desondanks ga ik liever naar de keuken, naar mijn vrouw, om uit de oven een brandende spaander te halen. "Ja, gaat u maar naar haar toe, meneer," zei de keukenmeid in de deur. "Ze huilt toch al te bitter alleen boven het fornuis." — Dus ik de keuken in, ging naast Tientje staan en zei tegen haar: "Hou nu op, schat!" Zegt zij: "Het is toch alleen maar van opluchting, Heinrich; en ik ben veilig en in alle rust bij jou op de Rode Schans; en het maakt nu toch allemaal niets meer uit wie Kienbaum heeft doodgeslagen en vader het leven zo heeft vergald. Ach, ik wou dat niemand het er ooit nog over had!" — Toen zag ik het opeens helder voor me! — Ze tilde de braadpan van het sissende, knakkende, flakkerende vuur, ik keek de sproeiende vonken na en de rookwolken in de donkere schoorsteen en dacht: nu ze zelf opnieuw zegt dat jij de juiste man voor haar bent geweest, blijf dat dan ook voortaan. Bederf niet haar rust en zekerheid, gun haar de goede dagen en, wat dat andere aangaat, welnu, vraag de oude Störzer zelf! Maar, Oliebol, als Onze-Lieve-Heer al zoveel jaren geen haast gemaakt heeft, dan zal het op een paar dagen meer ook niet aankomen. Wacht op de passende gelegenheid en vraag de oude man zelf zo rustig mogelijk wat je hem te vragen hebt, Oliebol. Beschouw het voorlopig alleen als iets tussen jou en hem. Blijf voorlopig met je verhaal maar weer eens een keer alleen voor jezelf onder de heg.'

Het dienstertje zette haar gezette folterknecht een gevuld glas voor, zij het met onzekere hand. Met wijd opengesperde ogen staarde ze hem aan; maar ook zij was niet meer in staat zijn woordenstroom te onderbreken.

'Proost, Eduard! Een paar dagen na de begrafenis bood zich dan ook de eerste gelegenheid aan. Ik krijg een brief en zeg: "En, Störzer, ik ben nieuwsgierig wat voor onrustbarends u nu weer bij mij in huis brengt. Hebt u enig idee?" — De baas kijkt me natuurlijk vanwege zo'n domme vraag verbaasd aan en zegt: "Hoe kan ik dat nou weten, meneer Schaumann? Het briefgeheim is bij ons toch wettig gegarandeerd en ik ben wel de laatste die dat zal verbreken." — "Groot gelijk, oude vriend! Inderdaad, met andermans geheimen moet je behoedzaam omgaan. Welnu, het is weer een warme ochtend, kan ik u hier buiten een koele dronk aanbieden. Ik wil even kijken of ik u als u vandaag weer langskomt een antwoord mee moet geven voor die lastpakken in de stad." — "Dank u vriendelijk voor de verfrissing, maar ik — ik kan ook gewoon zo buiten op de bank blijven wachten. Zoveel tijd heb ik hier wel." — "Voelt u zich niet goed, Störzer? Waar zit de pijn?" — "In al mijn ledematen, een mens wordt toch ook allengs ouder." — "Daar hebt u gelijk in, grijze levenskameraad. Welnu, iedereen vindt ooit zijn verdiende rust, dat hebben we vorige woensdag maar weer gezien; ook boer Quakatz, mijn schoonvader, heeft het wachten opgegeven en definitief zijn gezicht naar de muur gedraaid." — De oude baas draait zich om, zonder iets te zeggen, en loopt naar buiten voor het huis. Ik open in de gang de envelop en kan me, gelukkig ook in mijn huidige stemming nog steeds kwaad maken over de inhoud. Het is een uitnodiging voor het eerstvolgende paleontologische congres in Berlijn en verder niets. Onzin! Dat zouden ze wel willen! Jij in dat nest daar, arm in arm met je mammoet! Nou, nou! Ik, voor zoiets? Belachelijk! Zijn de mensen dan echt zo dom, of kent de wereld Oliebol zo slecht? Wat die heeft opgegraven, dat houdt hij en hij laat het zich in geen geval aftroggelen door mooie praatjes of door de profane mammon. — Ik stap dus weer naar de oude baas en zeg tegen hem: "Een antwoord is echt niet nodig, Störzer! Aan het brievenschrijven zijn we gelukkig weer ontsnapt." — "Groot gelijk, meneer Schaumann. Wat levert al dat geschrijf ook op? Nog een prettige morgen maar weer, meneer Schaumann." — "Tot ziens, Störzer, en ontzie uw oude benen. Denkt u er echt nog steeds niet aan om met pensioen te gaan?" — Daar haalt me die grijskop zijn schouders op, maar trekt tegelijk ook zijn dommig-goedmoedige, weerbestendige gezicht. "Dat wil nog niet, meneer

Schaumann. Je hebt nou eenmaal de gewenning na zo lange tijd, en iemand als wij vindt zijn rust meer buiten op de landweg, dan wanneer ie bij de kachel of op het bankje voor het huis zou zitten. Ja, met alleen maar 's nachts zijn bedrust is ie al gauw tevreden." — "Hm, ja, 's nachts in bed! Tja, dat zei immers al de wijze Salomon of Sirach. 's Nachts in bed, wanneer we zouden moeten rusten, brengt de slaap nieuwe gedachten die overdag bij regen en zonneschijn op de landweg zijn weggestapt, waardoor je niet kunt slapen. Hoe vaak ben ik niet naar mijn schoonvader zaliger toe gegaan om hem toe te spreken: "Toe, vader, doe je armen van je knieën en ga liggen slapen — alles is in veiligheid en in vrede in en om de Rode Schans." Ja, Störzer, u had zich toch door mijn vrouw even iets ter verfrissing moeten laten inschenken. Wat is er toch met u? Tine Quakatz doet dat graag en met een vriendelijk gezicht, vooral voor zo'n jarenlange goede bekende. Nou zeg, Störzer, u trekt me daar een gezicht als, als — laatst — op het kerkhof van Maiholzen, toen ik u aan het graf van onze vader zaliger de schop wilde aanreiken. Weet u wel, beste Störzer, dat u me zojuist levendig aan boer Quakatz deed denken, die ook zo zijn gezicht vertrok als men hem weer eens fijntjes te verstaan had gegeven dat hij — hij — Kienbaum had doodgeslagen? Störzer, u zou toch moeten overwegen eindelijk met pensioen te gaan! U wordt echt te oud en uw knieën te knikkerig voor de last die het lot u als zijn deel van het gewicht van de wereld op de schouders heeft gelegd." — Daarop antwoordde, zei hij dan — als je het al antwoorden, zeggen kon noemen — dat ik daar, ja, misschien wel gelijk in had en hij het er nog eens met zijn kinderen over zou hebben. En toen liep hij weg — als je het al lopen kunt noemen, en ik liet hem gaan en keek hem nog zo lang na vanaf de wal van meneer de graaf van de Lausitz tot hij de weg naar Maiholzen insloeg en achter het struikgewas verdween. Het zat er nu voor mij niet in nog iets aan de situatie te veranderen, hoe graag ik het ook had gewild;

maar de geruststelling eindelijk iets geheel en al te doorgronden, betekent voor een mens of brengt hem niet altijd dat wat hij verlicht ademhalend een geruststelling noemt. "Wat nu?" is de vraag die voor de genoemde arme stakker en geplaagde aardbewoner in het specifieke geval gewoonlijk kleeft aan zijn nadere kennisneming, en zo ook in mijn geval. Wat zou jij in mijn plaats op die vraag in dit geval hebben ondernomen, Eduard?'

Het is volkomen onbelangrijk wat ik toen heb geantwoord of kon antwoorden. Het is genoeg te weten dat hij, waarschijnlijk zonder mijn antwoord af te wachten, vervolgde: 'Wat mij betreft, denk je zeker dat ik eerst weer naar mijn vrouw ging, maar niets daarvan. Deze keer ging ik eerst naar de achterkamer naar mijn reuzenluiaard, bekeek de schone restanten nog eens en zei: "Oude kameraad, wat had het jou uitgemaakt als ik je een paar weken of een paar jaar later had opgedolven?" En nadat het brave dier mij voldoende geïnformeerd had, ging ik weer naar Tientje en bekeek ook haar weer eens goed, van haar kapsel tot de neus van haar schoenen; en daarbij dacht ik bij uitzondering ook eens een keertje aan mezelf. Ik aaide mijn hart over zijn wangen; zo ontzaglijk veel moeite had het me gekost dit behaaglijke, propere, sierlijke Rome op te bouwen — en dat zou nu allemaal voor niets zijn geweest? En waarom? Ten behoeve van wie? En waartoe en waarvoor? Voor Kienbaum? Voor de eeuwige en de menselijke gerechtigheid? Ik bekeek mijn vrouw, monsterde het gezelschap der levenden en liet iedereen, voor zover woonachtig rondom de Rode Schans, de revue passeren. Om later van de goegemeente geen verwijt te krijgen, nam ik ze stuk voor stuk aux sérieux, en... ik vond er niet één tegenover wie ik me persoonlijk verplicht voelde onmiddellijk te onthullen door wie Kienbaum daadwerkelijk was doodgeslagen. "Maar de eeuwige gerechtigheid dan?" zul je vragen, Eduard. Ja, kijk eens, goede vriend, volgens mij had die instantie als ze dat daar hadden gewild in deze zaak allang het nodige kunnen doen. Nu dat niet gebeurd was en ze alleen op zoek waren gegaan naar vader Quakatz, had men van zijn schoonzoon absoluut niets te eisen: ik van mijn kant mocht ze met klem verzoeken, mijn vrouw zolang het maar enigszins mogelijk was voortaan met rust te laten en haar niet langer lastig te vallen met deze afschuwelijke geschiedenis. De vraag blijft echter: maar jij dan? Ik namelijk, beste Eduard: Heinrich Schaumann, bijgenaamd Oliebol — jij weet nu eenmaal waar de klepel hangt, Heinrich! Wil en kan je die daar werkelijk zo rustig laten hangen zonder aan het klokkentouw te trekken? Je had een god moeten zijn om dat te kunnen, en hoe ik mezelf ook inschatte, tot zo'n verheven standpunt, of als je wilt tot deze olifantshuiderigheid, had ik mezelf nog niet opgewerkt en zei daarom tegen mezelf: wel, je moet pas krabben als het jeukt en waar het jeukt! Maar onderwerp eerst zelf de verjaarde zondaar aan een verhoor: roep hem onderweg ter verantwoording, maar doe het alleen. Je was al eerder de enige die in deze affaire het presenteerschaaltje onder zijn neus gedrukt kreeg, dat zal je daarom een tweede keer vast weer gebeuren. Bewijs je naam van eenzame slokop alle eer, Oliebol! Slik wat je nu voor de kiezen krijgt opnieuw in je eentje. En het liefst ook weer onder de heg, daar onder dat braambosje, en met een stralende zon en een kalme blauwe lucht, de veldkrekels als hulprechters en de verdachte, de plattelandspostbode Störzer, in de greppel van de landweg tegenover je... Maar kind, Meta, laat je toch eindelijk weer eens een keer zien! Kom uit je donkere hoekje hier aan tafel, meisje!'

De folterknecht klopte met de hamer op de duimschroeven — nee, hij klapte met de deksel van zijn bierpul, en Meta, wit weggetrokken, opgewonden, sprong hijgend van opwinding vanachter haar buffet tevoorschijn.

'O god, god, meneer Olie — meneer Schaumann, lieve meneer Schaumann, ik kan het niet helpen, maar —'

'Je hebt meegeluisterd. Wel, weet je, dan maak ik het je gemakkelijker, kom hier zitten en luister verder. Maar eerst nog een bier, ook voor meneer daar, o nee, die schijnt niets meer te willen; maar die heeft ook alleen maar geluisterd en zijn gedegenste vriend laten praten. Zo, kom erbij, schat, en laat het me aan jóú vertellen. Je stamgasten van vanavond zijn zeker al in aantocht? Ik hoor de schreden van de grote aardse broedergemeenschap al naderen; en zie je, Eduard, beter had de zaak voor mij niet kunnen uitpakken: de oude Störzer is dood, heeft zijn vijfvoudige mars om de aarde voltooid, en bij Tientje komt morgen vrouwe Fama een halfuurtje op bezoek en strijkt een poosje neer bij de erfdochter van de Rode Schans op de grachtrand van prins Xaver van Saksen; en ik voel me daarna werkelijk een heel stuk prettiger met mijn bijbehorende commentaren. Hoho, dat bier is niet best ingeschonken, mejuffrouw!'

'O god, let u daar nog op? Kunt u daar nog op letten, meneer Schaumann?' snotterde het ontstelde, trillende jonge ding.

'Kom, ga zitten, kindje, en sper je oren wijd open, en daarna je snavel, voor mijn part, zover je maar wilt: de menselijke mond kan heden in deze affaire geen kwaad meer doen. Als het lot wil dat mensen bij elkaar komen, dan zorgt het ook dat het voor elkaar komt. Ik deed in deze zaak verder helemaal niets: ik ging mijns weegs en liet Störzer hetzelfde doen; het lag niet in mijn aard hem ergens achter een van mijn heggen staan op te wachten en hem in zijn kraag te grijpen. Wat mijn wegen waren? Ze brachten me nooit ver buiten mijn grenswal, maar toch, op zijn tijd tenminste, wel eens een stuk in de enk. Als je eenmaal medeoprichter en aandeelhouder van een suikerfabriek bent, ga je ook in Afrika wel eens af en toe naar je eigen en andermans bieten kijken, al zit je nog zo graag met de antilopen onder de apenbroodboom.

Op een van die moeizame tochten kwam het tot een confrontatie. Je weet waar de keizerlijke postweg vanuit de stad naar Gleimekendorf door het boerenstruikgewas, het Papenbos loopt. De sluipweggetjes van onze jongenstijd lopen daar ook vandaag nog kriskras, maar gedeeltelijk ook nog steeds in de richting van de straatweg. Het hout is wat hoger geworden, maar de greppel die aan beide kanten van de weg de afscheiding vormt, is nog precies hetzelfde. Je moet eroverheen springen of onderlangs klimmen om op de heerweg te komen. En dat was mijn bedoeling. Jaja, zit niet zo te trappelen, Marietje of Meta'tje! Ik ben nu eenmaal ook in mijn mooieverhaaltjesvertellerij wat royaal uitgevallen. Maar daarom zijn andere mensen gelukkig wat korter van stof, zodat het over het geheel genomen toch weer in evenwicht is. Of de twijgen op mijn geliefde bospaadje om me heen erg ruisten en ritselden toen ik ze naar voren schuivend opzijduwde, dat weet ik niet. In elk geval werd de man die daar met zijn rug tegen het kreupelhout op de rand van de greppel zat door het naderbijkomen van mij en de Erinnyen niet meteen uit zijn gemijmer wakker geschud. Bij uitzondering kwamen laatstgenoemde dames ook weer eens als Eumeniden. Van mij mocht het: als woede en welwillendheid zich in de gegeven situatie verenigden, kon ik daar alleen maar blij om zijn! — "Goejedag, ouwe! Hier is het gebeurd, neem ik aan?" Hij groette niet terug, en beantwoordde de vraag door zich om te draaien en op te springen en zijn wandelstok met zo'n vertrokken gezicht zo stevig beet te pakken dat ik onwillekeurig de mijne optilde en riep: "Bent u gek geworden, Störzer? Moet op deze plek uw goede vriend Schaumann er soms aan geloven? Nee, we kunnen het denk ik beter bij die ene laten en de wereld kan ook wel toe met — Kienbaum!" Daarop gebeurde er iets wat ik me van tevoren niet zo plastisch had voorgesteld. Dat de arme drommel zijn knuppel liet vallen en de dikke Schaumann voor de laatste-oordeelsbode in eigen persoon hield en afwerend beide sidderende oude armen naar hem uitstrekte, dat was in orde; maar het was te veel dat hij zich liet vallen en met een "god, o god, o jezus, u weer?" de berm afgleed, in de greppel ging liggen, en wel plat op zijn gezicht — met zijn beide handen eronder voor zijn ogen, als een kind, en met zijn om wraak vragende achterwerk omhoog. Daar had je de poppen aan het dansen! Ik ben er vast van overtuigd dat als ik in mijn bestaan ooit heb staan kijken als een notenkraker, het bij die gelegenheid was. Wat kon ik anders doen dan eveneens steunend in de greppel afdalen om de arme stakker bij zijn schouders door elkaar te rammelen en op hem in te praten: "Kalm nou toch, bedaart u toch, Störzer! Het heeft u in al die jaren toch behoorlijk meegezeten; sta dan ook nu nog één keer op en laat uw gezicht zien. Ik zweer u bij alles wat me heilig is dat ik heel verstandig en kalm met u over de zaak zal praten." Nou ja, praat een van jullie, beste Eduard, maar eens kalm en verstandig in zo'n geval! Het duurde geruime tijd alvorens ook bij deze bedroefde zondaar de bekende rilling over zijn schouderbladen liep en hij door andere tekens en ook geluiden bewees dat hij begreep wat de goede broeder in de warwinkel des levens tegen hem had staan zeggen. Maar daarna hebben we een tamelijk inhoudelijk, vertrouwelijk uurtje op de greppelrand bij elkaar gezeten. Het zou echt een al te sterk staaltje zijn geweest, als de bejaarde knaap met zijn benijdenswaardige dikste huid van de hele omgeving ook nu nog steeds niets van zijn geheim door zijn poriën had laten uitlekken. Vind je ook niet, Eduard?'

Ik vond helemaal niets meer. Ik hoorde de huidige man van de Rode Schans, de erfgenaam van de boer-en-moordenaar Quakatz, zo spreken daar in De Gouden Arm en zat tegelijkertijd ook op de rand van de greppel van het Papenbos met mijn vriend Störzer en hoorde *die* vertellen over Afrika en hoe mooi het daar moest zijn en hoe prettig je alles kon lezen over de avonturen en de vredelievendheid daarginds in dat prachtige boek van Levalljang.

Oliebol legde zijn hand op het deksel van zijn bierpul.

'Nu nog niet, lieve schat. Later misschien nog een laatste, samen met de onbekende meneer hier, op de goede afloop. Ja, ja, ja, Eduard, wat ligt er niet allemaal tussen het begin en het eind van het leven? En hoe helder en aardig al die puzzelstukjes in en aan elkaar passen als je er eindelijk eens toe komt op een rijtje te zetten hoe die dingen eigenlijk allemaal mogelijk zijn geweest. Over jou, die door vriend Störzer met zijn monsieur Levaillant naar Kafferland bent gedirigeerd, heb ik het niet; het gaat nu over Störzer zelf en boer Quakatz en zijn Tientje en een tikkeltje over mij. En daar zegt me die Störzer dus tegen mij: "Ja, *ik* ben het geweest en heb al die jaren bij me gedragen dat ik het was en dat ze vergeefs naar me hebben gezocht." — "Hm, en verder hebt u daar niets anders bij gedacht dan of ze u al dan niet zouden vinden?" — "O, alstublieft, alstublieft!" — "Aan mijn arme schoonvader, hebt u bijvoorbeeld niet gedacht?" — "Och here, o jawel, meneer! Maar eigenlijk toch ook niet zo heel vaak, och here! Ik vond het altijd wel heel naar hoe hij zo vanwege niets en helemaal niets wegkwijnde in zijn onverdiende verlatenheid; maar kon er toch ook weer niets aan veranderen! En hij was toch ook altijd heel rijk en had zijn inkomsten en kon ook het nodige opzijleggen. Dat was toch een troost, en ze konden hem toch ook nooit echt iets bewijzen voor de rechtbank! Maar denkt u vooral niet dat het mij zo gemakkelijk afging om ambtshalve de Rode Schans op te moeten. En als het mogelijk was, stuurde ik ook steeds een ander met de brieven en de krant daar naar binnen. O meneer Schaumann, meneer Schaumann, als postbode moest ik — moest ik toch ook elke dag weer, dag in dag uit, langs die plek waar — waar ik de daad heb begaan. Dat kruis kon mij ook niemand afnemen, evenmin als ik Andres op de Rode Schans van zijn verdriet kon afhelpen!" — "Niet kon afhelpen, Störzer?" — "Nee, meneer, helaas niet! Want het was tegen de natuur. Ach, barmhartige God, als ik maar kon uitdrukken hoe dat volledig indruiste tegen de natuur!" — "Een fraaie natuur, Störzer!" — "Hoe vaak, meneer, heb ik dat niet tegen mezelf gezegd, hier, waar we nu zitten, op mijn knieën, als ik het bos en de straatweg voor mij alleen had!" — "Hier?" — "Ja, hier in het Papenbos op de plek waar ik 't hem betaald heb gezet wat hij me van kindsbeen af heeft misdaan. Als ik daarbij over de schreef ben gegaan, heb ik die schuld voor Onze-Lieve-Heer in lange, lange jaren van verdriet en angst moeten dragen. En het heeft me allerminst getroost wat voor soort mens Kienbaum ook speciaal voor mij is geweest. Ik heb ook pas de volgende dag gehoord wat mijn daad inhield! Als ik hem hier voor me had zien liggen, had de boer van de Rode Schans, meneer uw schoonvader, mijn schuld niet op zich hoeven nemen: dan hadden ze me vast en zeker bij het lijk gevonden en me meteen kunnen meenemen naar de rechter. Die ene nacht tussen die ene avond en die ene ochtend heeft gemaakt dat mijn geweten me toch min of meer met rust heeft gelaten, maar ook dat daarom ik en uw papa schoonvader die zware, zware levenslast op de schouders kregen." — "Hm, hm, Störzer, het klinkt heel aardig wat u daar zegt; maar een iets te zachtaardig en in elk geval zeer inschikkelijk geweten is het wel waar u mee gezegend bent. Uw postzak daar zou ongeveer dezelfde gevoelens kunnen koesteren als u voor de inhoud van de post die erin zit." — "Ik snap niet goed wat u bedoelt, meneer Schaumann, en hoe het anderen in zulke verschrikkelijke zaken te moede is, weet ik ook niet; maar één ding weet ik, dat het nu dan toch is uitgekomen en dankzij uw bemiddeling de mensheid eindelijk tot bedaren kan komen. En wat Onze-Lieve-Heer betreft, ach god, daar moet ik mij in alle bittere rouwmoedigheid mee troosten dat hij Kienbaum heeft gekend en mij in mijn jonge jaren ook heeft gekend en beter dan enig ander precies weet hoe het zover gekomen is." — "Zeker, maar ook ik wil dat graag wat nauwkeuriger weten." — "Wat u straks met mij wilt doen, dat is nu helemaal aan u. Mijzelf maakt het al niet meer uit — maar kinderen en kleinkinderen moeten het aanzien en in het reine komen met de kwade reuk die hun oude grootvader achterlaat. Aan de verjaring ontbreken nog een of twee jaartjes. Ik dacht dat ik het zolang wel zou uitzingen! Maar dat is nu toch weer helemaal anders gelopen. Dus, al was het alleen maar voor uw schoonvader, meneer Schaumann, doet u wat u moet doen en wat in uw ogen rechtvaardig is!" — "Daarover later. Vertelt u hoe de vork in de steel zit en hoe alles precies in zijn werk is gegaan." — "Ach, dat is het nou juist, er valt helemaal niet zoveel te vertellen, ondanks dat het zo slecht is afgelopen. Het was niet eens om een meisje of over geld en geldzaken, zoals dat normaal gesproken bij anderen gaat dat het tussen ons zover gekomen is. Maar de duivel had er de hand in dat het zo moest lopen. Wij zijn namelijk even oud, Kienbaum en ik, en lagen in twee wiegen als het ware elk aan een andere kant van de muur, we zijn samen opgegroeid en hebben elkaar goed kunnen leren kennen. Hij was geen beste, meneer Schaumann, en het heeft me gedurende al die lieve, lange jaren soms tenminste een beetje getroost als ik dat ook uit andermans mond te horen kreeg." — "Fijne troost ja, arme stakker!" — "Inderdaad, arme stakker! U zegt het; maar daarom en desondanks en precies om die reden heeft een mens het recht elk soort troost op zijn zware weg te aanvaarden. God, o god, wat heeft *die* man mij de weg moeilijk gemaakt, van jongs af aan, van de weg naar school tot aan deze koninklijke straatweg hier aan toe! Hij was degene die voor mij in de schoolbank de scheldnaam Stoethaspel bedacht en mij er levenslang mee heeft opgezadeld. Hij was degene die het meest van alle mensen mij sinds de schoolbank het verschil liet ervaren tussen armoede en welstand en tussen langzame bedachtzaamheid en een snelle kop met kwaadaardigheid en een grote waffel. Och here, zijn bloed kleeft aan mij en ik wil het vandaag nog graag door het mijne schoonwassen, zoals dat nu vanzelf gebeurt, zonder mijn toedoen: maar, heer, o heer, hij, Kienbaum moest toch ook zijn deel krijgen voor alle angst die ik door hem heb uitgestaan en alle toorn en woede en bitterheid die hij bij me heeft opgewekt en waarmee hij me bijna dagelijks heeft overstelpt. Want Onze-Lieve-Heer heeft ook hem later in zijn beroep als rijke veehandelaar op de postweg gezet. Meneer, als er daar op elke hoek een vroegere oude roofridder het op mij en mijn brieventas had gemunt, had het niet erger kunnen zijn dan eeuwig tegen jezelf te moeten zeggen: Zo dadelijk komt Kienbaum weer voorbijrijden en laat je op zijn manier voelen hoe laat het is. Meneer Schaumann, u staat hier bekend als een stil en goedmoedig iemand, en een stil iemand ben ook ik mijn leven lang geweest en stilletjes ben ik mijn weg gegaan en heb alles over me heen laten komen en ook hem jarenlang zijn brieven in Gleimekendorf thuisbezorgd en mij in die functie zijn giftige hoon en spot moeten laten welgevallen, totdat mij hier op dat vreselijke moment hier, hier in het Papenbos, zijn en mijn lot en ook uw schoonvaders armzalige lot op de nek is gevallen. Heer, o heer, en dat, zowaar als ik leef, maar voor de helft door mijn schuld en helemaal door het verschrikkelijke toeval! Dat het alleen maar toeval was, dat weet de hoogste Rechter, die me denkelijk daarom toch nog een tamelijk hoge leeftijd heeft laten bereiken; en dat werd mijn tweede troost in het leven, bij onweersstorm en hagel, sneeuw en hitte op de straatweg, dag in dag uit alleen met jezelf en je eigen gedachten. Ja, meneer Schaumann, iedereen gaat daar op zijn eigen manier mee om. Nietwaar, u gaat er nu toch ook op uw eigen manier mee om met wat nu uw plicht is ten aanzien van mij en uw lieve vrouw en de oude Quakatz en Kienbaum?" — "Ik had liever gehad dat die Onze-Lieve-Heer van jou er een ander mee had opgescheept, Störzer!" — "O, laat u door mij niet tegenhouden: ik ben bereid, nu het eenmaal allemaal aan het daglicht is gekomen: vandaag, morgen, overmorgen! En geen aardse rechter zal me bij het verhoor ook maar op één leugen kunnen betrappen. Daarop zweer ik u nu al een heilige eed." — Ziedaar, mijn lieve Eduard: Oliebol met Stoethaspel in de biechtstoel als biechtvader met biechtkind! — "Wat kun je doen," verzucht de laatste, het biechtkind, "als je eigenlijk bent geboren zonder enig verweer en wapen tegenover elke bengel sinds je jeugd? O god, god, god, het ging heel zeker om een moord, wat ik Kienbaum heb aangedaan; maar je moet nu eenmaal zowel bij de kleine en kleinste dingen als bij de grove en grofste, alles in aanmerking nemen wat die man mij als knaap, als jongeman en als volwassen mens heeft aangedaan. En Kienbaum heeft mij zo ongeveer alles aangedaan wat geen enkele jongen van iemand zou verdragen! Als zijn handtastelijkheden bij de oude cantor Fuhrhans op mijn huid waren blijven zitten, dan was er vandaag nergens een christelijk wit plekje, maar was alles blauw, groen en geel. En als de woedetranen die ik achter zijn rug heb moeten wegslikken nu zouden losbarsten, dan had je zomaar drie emmers vol! Ik zei zojuist wel dat het niet om een meisje ging, maar ooit was er toch wel eentje, namelijk in militaire dienst, toen wij tweeën ook in dienst weer door Onze-Lieve-Heer aan elkaar waren vastgekoppeld. Ik wou niets van haar, maar ik heb haar met zijn baby uit het water gehaald, in dienstuniform tweedeklas, en het was beter geweest als ik ze erin had gelaten, die twee arme schepsels. De alimentatie heeft hij later voor de rechtbank weggezworen en zo is dat kind onder de heg, en zij in het tuchthuis te gronde gegaan. Maar daarover wil ik het niet eens hebben; want in wezen had ik daar eigenlijk behalve in algemeen menselijk zin, verder niets mee te maken. Maar zijn welstand!... Ik heb daarstraks ook al gezegd dat het niet vanwege geld of waardevolle dingen tussen ons zo vreselijk is misgelopen, en ook dat is de waarheid. Ik was hem niets schuldig en hij mij niets. Maar dat zijn handel en zijn rijkdom hem steevast de weg op stuurde, dat was het fatale. Dat hij voor de veehandel de juiste man was, hoewel niet altijd voor zijn kopers en verkopers, dat is zeker; maar waarom kon Onze-Lieve-Heer hem dan niet op een andere manier aan zijn bezit laten komen en moest hij mij dag in dag uit blootstellen aan zijn hoon en spot en trots? Hij had de hoeve in Gleimekendorf gekocht, midden in mijn ambtsgebied, en passeerde me dagelijks; hoog te paard of in zijn wagen — terwijl ik daar liep. Onze jonge collega's bij de Post hebben zich al vaak voorgenomen uit te rekenen hoe vaak ik te voet de wereld ben rondgelopen. In die tijd ben ik er volgens mijn berekening zeker één keer omheen gelopen, maar het was al genoeg dat ik dagelijks zo'n schurk tegenkwam, die je vanaf zijn wagen, als ie je van achteren kon raken, ook een oplawaai gaf met de zweep en in het voorbijrijden honend achterom riep: 'Sjok, sjok, stoethaspel! Loop tot je een tekkel bent, breng mij de dukaten en haal jij je briefstuivers; zowaar ik Kienbaum heet!' Meneer Schaumann, dan loopt bij mij een keer de emmer over. En die emmer *is* overgelopen; en als het niet zo'n afschuwelijke daad was, was het helemaal niets bijzonders geweest. O lieve, barmhartige Hemel, wie of wat beschikt nou toch dat een mens zijn rustige uren en nachten en zijn schone geweten mag behouden of dat ie dat alles voor zichzelf en een ander zoals uw schoonvader, meneer Schaumann, voor zijn hele verdere leven moet bederven? Het was op net zo'n mooie avond als nu. Alleen wat klammer, met onweer in de lucht. En ik had een zware dag gehad — de brieventas vol en nog een stuk of tien geldbrieven, wat me altijd de meeste moeite bezorgt vanwege de verantwoordelijkheid en het precieze noteren en de afrekening achteraf op het kantoor. Ik voel in al mijn botten hoe mijn kracht is geslonken als ik kom aanstrompelen hier in het Papenbos, waar de schemer zich al in de struiken heeft genesteld. Je bent toch zeker de eeuwige Jood niet, Störzer, zeg ik tegen mezelf. Vijf minuutjes kan het wel wachten, en of de duivel ermee speelt of Onze-Lieve-Heer, ik ga hier die vijf minuutjes op de rand van de greppel zitten: o, had de hemel maar liever vijf minuten eerder een op hol geslagen, vierspannige hooiwagen over mijn lijf heen laten rijden! Nu ontbreekt er aan je kapotte toestand alleen nog een Kienbaum, zei ik ook nog tegen mezelf. En op hetzelfde moment hoor ik plotseling een geluid; want om de hoek komen er wagenwielen aangerateld en ik hoor al van ver hoe iemand zijn paarden de zweep geeft en schreeuwt: 'Vervloekt kanalje!' En als gif schiet het door mijn lijf: Maak je borst maar nat! En ik wist dat mij vandaag weer eens geen beproeving bespaard zou blijven. Ik bereid me op het ergste voor, maar ik grijp voor deze keer in de onweerslucht ook naar mijn stok naast me en zeg: Störzer, wees in geval van nood ook eens een man en weer je tegen die honende ellendeling! Maar ook dat loopt anders dan gewoonlijk bij zulke gelegenheden. Als Kienbaum me ziet zitten, trekt hij de leidsels aan en stopt met zijn lege veewagen. Ik denk: nou, die is vandaag weer het nodige van plan, en dat was ook het geval. Iemand was hem voor één keer in slimmigheid de baas geweest. Naar later is gebleken was dat uw geachte schoonvader, de boer van de Rode Schans, meneer Schaumann. Die koehandel is later voor de rechter uitvoerig uitgekauwd als bewijs tegen de boer van de Rode Schans. Dat uw schoonvader na die handel 's ochtends later op de avond werd gezien op weg naar Gleimekendorf, dat was het tweede bewijs, zoals u weet, meneer Schaumann. Er waren er te veel in de stad, in De Blauwe Engel, die hadden gehoord hoe die twee elkaar 's middags de huid vol hadden gescholden; maar op wie kan een man als Kienbaum als hij in zo'n zaak aan het kortste eind trekt, zich beter afreageren dan op iemand als ik? Nogal wiedes!... Uw schoonvader en hij zijn elkaar daarna in het Papenbos niet meer tegengekomen, maar wel stuit Kienbaum op mij, zijn Störzer — hier — hier — op deze plek, precies op het goede moment voor zijn kwaaie gevoelens. Hij brengt zijn wagen tot stilstand, en ik ben opgestaan en heb mijn tas recht gezet en mijn stok steviger vastgeklemd. Ik zie hem in de schemering zijn bekende grimas trekken, en daar begint hij al tegen me te schreeuwen: 'Goed zo, Stoethaspel! Zit je daar weer andermans eieren uit te broeden? Heb je vandaag weer voor een paar centen gelopen tot je een tekkel was, stomme hond? Je neemt het me toch niet kwalijk, hoop ik? We zijn immers al sinds de schoolbank en het regiment de beste kameraden! Hier — reik me je hand, mijn alles!' En tegelijk haalt hij zo naar me uit met zijn zweep, wat hij zelf een goede grap vindt, dat het uiteinde zich om mijn arm wikkelt en een bloedige striem op mijn hand achterlaat. Zo erg zal hij het niet bedoeld hebben, maar het was wel de reden dat er toen gebeurde wat er moest gebeuren. Ik laat mijn stok vallen en wil hem in mijn pijn weer van de grond oprapen; maar in plaats daarvan, barmhartige God, krijg ik de eerste de beste veldkei in mijn hand. Tijdens mijn worp heb ik helemaal niets gedacht en ook niet echt gemikt, maar goed raak was het wel — het moet de wil van God of de duivel zijn geweest. Ik zie hoe de man bijna omver tuimelt en aan de leidsels schudt. De paarden trekken aan, de wagen rijdt langs me heen, de nachtelijke schemering in. 'Die kun je mee naar huis nemen en er een koude messenkling op leggen, rotzak!' roep ik hem achterna. Of hij het nog heeft gehoord, kan ik niet zeggen. Later heb ik in veel bange nachtelijke uurtjes gedacht dat hij het niet kan hebben gehoord. Ondanks mijn woede vond ik het wel gek dat hij wat zijn koers betreft niet op de weg blijft naar Gleimekendorf, maar rechtsaf gaat, de bosweg in die doodloopt op de Rode Schans; maar veel aandacht heb ik er in mijn woede niet aan besteed, maar ben naar huis gegaan en heb tot ik thuis was op mijn gewonde hand gezogen als een kind dat een klap heeft gekregen. Wat er dan later is gebleken, meneer Schaumann, weet u zelf even goed als ik. U weet hoe de paarden op de verkeerde weg stapvoets zijn doorgesjokt en vast ook wel urenlang moeten zijn blijven staan, totdat ze via de landweg rond middernacht in Gleimekendorf bij de stal van hun boerderij zijn aangekomen. Iedereen erbij, met lantarens, ze kijken in de wagen, en in het hooi vinden ze Kienbaum, en de artsen kwamen erachter dat het een slag of een worp tegen zijn linkerslaap moet zijn geweest die het ongeluk heeft veroorzaakt. Alles staat precies in de stukken, alleen ik niet. Ik kom er alleen zijdelings in voor, als iemand die Kienbaum ook nog op de straatweg heeft ontmoet en met wie hij nog gesproken heeft. Ach god, meneer Schaumann, waarom heeft Onze-Lieve-Heer me zo geschapen als hij me heeft geschapen en me daarbij met deze ellende opgezadeld? De mensheid en de juristerij kan men het niet kwalijk nemen dat ze in deze zaak bij Quakatz zijn uitgekomen en niet bij de plattelandspostbode Störzer. Het had ook veel beter bij *zijn* aard en positie gepast om Kienbaum dood te slaan. Niet bij die van mij! Ik dank God op mijn blote knieën dat ze me tenminste niet als getuige tegen hem, uw schoonpapa, hebben opgeroepen. Dan had ik alles wat mijn hart bezwaart op de groene tafel kunnen leggen; maar mezelf zomaar na al die bange nachten en een eenzame dagmars aangeven — ik heb het geprobeerd, maar het ging niet — ik heb het gewild, maar ik heb het voor me uit geschoven — steeds verder voor me uit geschoven, en zo zijn de jaren voorbijgegaan, en de boer op de Rode Schans is het ondanks zijn narigheid steeds meer voor de wind gegaan. Die stille angst, die stille angst een leven lang, meneer Schaumann! Die ik heb meegezeuld met elke brief die ik af moest geven, dag in dag uit, een leven lang, rondom de Rode Schans en op de schans zelf — en ik heb het toch niet kunnen doen — heb me toch niet zelf kunnen aangeven als de dader van de daad, als Kienbaums moordenaar. Ach heer, o heer, het is weliswaar eigenlijk te laat, maar ik leg u geen strobreed in de weg: — u hoeft me niet bij mijn schouders te pakken: ik volg u graag en gewillig als u van plan bent me vanavond nog naar de stad te brengen om tegen de eerste de beste die ons bij de poort komt opwachten te zeggen: "Hier, dit is hem! Hij heeft het me net zelf bekend!"'

— — — — — — — — — — — —

'Wat krijgen we nou? Nog geen licht hier?' zei de eerste stamgast. 'Moeten we binnenkort soms zelf onze verlichting meebrengen? Meta, waar zijt gij?'

'Hier, meneer de officier van justitie! O god, ik kom al!' riep het meisje met trillende stem. Ook de aangestoken lucifer beefde in haar hand en er waren enkele mislukte pogingen voor nodig alvorens het haar lukte de speciale kamer voor de beste gasten van De Gouden Arm van sterker licht te voorzien.

'Kijk eens aan, wie hebben we daar!' zei de officier van justitie. 'Wat nou, Schaumann, u wilt ervandoor, net nu wij binnenkomen? Kom op, Oliebol, ouwe dikke vriend, en jij, Eduard, blijf even zitten zoals ooit in andere en betere tijden. Wat nog van onze corona in dit tranendal voorhanden is, zou het me nooit vergeven als ik jullie hier rustig liet gaan, de een naar de Rode Schans, de ander naar zijn zwarte Afrika. Meta, voor beide heren nog een bier! Jongelui, dat belooft wat, dat kan eindelijk weer eens een ouderwets jofele avond worden. Nietwaar, jullie blijven toch?'

'Graag genoeg, als het kon en mijn lijfarts het me niet had verboden,' lachte Oliebol. 'Ach, als u eens wist, Schellbaum, hoe streng me door die kerel, die Oberwasser, elke vorm van opwinding is verboden, zou u me zoals in andere en betere tijden rustig onder mijn heg hebben laten liggen.'

We pakten onze hoed. De gelagkamer was ondertussen al voller geworden, maar gelukkig alleen met stamgasten die van de prins geen kwaad wisten en de dikke Schaumann alleen van horen zeggen en uit de verte kenden. Zo konden we gelukkig doorstomen naar de uitgang, en daar kwam, bevend van opwinding, Meta ons achternagerend.

'O god, o god, meneer Schaumann, maar ik heb alles kunnen horen! Is het echt waar? En die heren binnen! Mag iedereen het dan nu weten? Mag ik dat vanavond allemaal aan de heren doorvertellen?'

'Alles, mijn kind.'

De kapitein bekijkt me steeds wantrouwiger. Zojuist zegt hij: 'Sir, dat het drinkwaterrantsoen aan boord uitgeput raakt, dat gebeurde vroeger vaker, dat kan ook vandaag nog gebeuren en is een onprettige ervaring; maar wat zegt u als ik u met tranen in mijn hart moet signaleren: Sir, we zijn bij de laatste druppel inkt aangekomen? Well, dan is toch een geluk bij een ongeluk dat we met ingang van morgen naar de Tafelberg kunnen uitkijken.'

'Zo is het maar net, old friend!'

En de oude zeebeer klom weer aan dek, hoofdschuddend en in zichzelf mompelend dat al dat onzalige geschrijf op zee godzijdank iets hoogst uitzonderlijks was. Ik ben er vast van overtuigd dat hij in geval van nood mij als de zwarte raaf op zijn schip zou hebben beschouwd en zonder al te veel gewetensbezwaren over boord in de kolkende zee had gezet om door zo'n zoenoffer de overige lading te redden. — —

Maar wij, Oliebol en ik, stonden weer voor De Gouden Arm onder de stille, warme, donkere zomeravondlucht, en ik mijn voorhoofd minstens zo hevig deppend als mijn verbazend dikke vriend. Hij had het verhaal van de moord op Kienbaum niet alleen op zijn omstandige keuvelende manier onder woorden gebracht, hij had het uitgezweet, het door al zijn poriën uitgewasemd. Maar ik, had ik daarom elders ter land en ter zee zoveel beleefd, enkel om op dit piepkleine stukje thuisgrond voor Oliebol en Stoethaspel te moeten staan als voor iets wat noch ik noch enig ander mens ooit had beleefd?

Wie van de twee was in mijn ogen nu de meest ongrijpbare, de meest verontrustende geworden? O, o die Störzer! O, o die Schaumann! — Mijn oude, oudste kindervriend en speelkameraad de moordenaar van Kienbaum! Hij die mij in feite toch in zijn eentje de weg naar zee en de woestijn had gebaand door zijn Levalljang, en aan wie ik mijn 'riddergoed' op Kaap de Goede Hoop te danken had, enkel en alleen door de gesprekken op zijn wereldwandelingen over zijn straten en veldwegen. Het was onvoorstelbaar, althans op dit moment, daar niet onmiddellijk over door te praten.

Oliebol begeleidde me naar mijn herberg en in de deuropening stelde ik hem toch nog een vraag: 'Wil je niet nog even mee naar boven komen?'

'Liever niet,' vond Heinrich, 'mijn vrouw heeft zich sinds jaren niet ongerust over mij hoeven te maken. Op dit tijdstip ben ik altijd thuis. Welnu, vandaag is natuurlijk wel een gerechtvaardigde uitzondering. Wat heeft een mens niet allemaal over voor zo'n goeie, ouwe, uit het oog verloren vriend om diens oude nest weer knus en vertrouwd te maken! We zien elkaar toch nog voor je weer weggaat, beste kerel? Je moet toch nog even komen kijken wat voor gezicht mijn Tientje trekt als ze op de volgens mij meest aangewezen manier via anderen te horen heeft gekregen wat ik haar (naar morgen de hele wereld zal roepen!) allang had moeten vertellen. Maar voorlopig: welterusten, Eduard! Bedankt voor je bezoek; dat was vandaag eindelijk weer eens een ietwat uitzonderlijke dag voor de Rode Schans.'

'Nacht, Heinrich,' zei ik, op dat moment tot geen andere reactie in staat, en hij scheen ook dat volmaakt vanzelfsprekend te vinden, want hij waggelde rustig door de aangename nacht in de richting van zijn vaste burcht in het leven; mij nu met hem, zijn vrouw, zijn schoonvader zaliger, met Störzer en met Kienbaum in het hotel alleen latend. Als ik hem in de voorbije jaren ooit, zoals hij zich uitdrukte, onder zijn heg met al zijn gedachten, gevoelens en stemmingen, als hoogste raadsinstantie naar zichzelf had doorverwezen, dan zette hij me dat nu dubbel en dwars betaald en gaf hij me het nakijken, zoals zelden iemand een ander heeft nagekeken.

Nu zat *ik* onder *mijn* heg, in mijn eentje in mijn vaderlandse nachtverblijf, en had ik de hele nacht ter beschikking om na te denken over alles wat ik gedurende die dag had beleefd. Maar toen de ochtendzon door mijn raam op mijn beddek scheen en ik de rekening van waken en droom opmaakte, bemerkte ik dat ik me vreemd genoeg hoofdzakelijk met Valentine Schaumann, geboren Quakatz, had beziggehouden en verhoudingsgewijs maar weinig met Kienbaum, Störzer, papa Quakatz en met Oliebol.

Dat goede mens! Dat arme en goede mens!...

En kon je het Oliebol kwalijk nemen dat hij om haar en haar Rode Schans, ten behoeve van beider behaaglijkheid de *aardse gerechtigheid* had beschouwd als minder belangrijk en zwaarwegend? Vermoedelijk kort na middernacht had ik me geheel in de positie, in de huid van mijn dikke vriend verplaatst, dat wil zeggen, ik was er als vanzelf in gegleden. Ik was tot zijn lichaamsomvang uitgedijd en had mezelf op de behaaglijke troon van zijn levensbeschouwelijke afzijdigheid genesteld en gezegd: 'Die droge Afrikaan, die Eduard, zullen we nog eens even vanuit het oude nest imponeren en hem bewijzen dat je ook vanuit de Rode Schans alle kleinburgerlijke benepenheid de kop kunt indrukken. We zullen hem eens even demonstreren hoe tijd en eeuwigheid gestalte krijgen in iemand die ze al jong alleen onder de heg laten liggen en die daar blijft liggen en die om zijn ziel inhoud te geven naar Tientje Quakatz op zoek gaat en om zijn lijf goed rond te houden de Rode Schans verovert en in zijn vrije tijd van daaruit ook de dag van gisteren als een sinds duizenden jaren begraven mammoet weer opdelft.'

Zo haalde ik me in deze nacht, voor ik naar bed ging en vervolgens ook in bed zelf, de afgelopen dag nog één keer voor de geest: van uur tot uur, van woord tot woord. En eens temeer besefte ik ten volle de diepe waarheid van het oude beginsel van de toereikende grond, zoals de oude Wolff formuleerde: '*Nihil est sine ratione, cur potius sit quam non sit*,' of in de vertaling van de boeddha uit Frankfort: 'Niets is zonder grond waarom het is.' — Zoals Levaillant, in de vertaling van Johann Reinhold Forster, in de bibliotheek van plattelandspostbode Störzer, mij naar de Boeren in Pretoria had gebracht, zo had de steenworp uit Störzers hand naar Kienbaums hoofd mijn vriend naar Tientje Quakatz gebracht en hem tot heer van de Rode Schans gemaakt. En dus, als Kienbaum niet Kienbaum, als Störzer niet Störzer, als Oliebol niet Oliebol en Tientje niet Tientje was geweest, dan was ook ik niet geweest wat ik ben, en had ik tegen de ochtend bij dit moordverhaal in een zoete slaap kunnen vallen en daaruit kunnen ontwaken met de geruststellende gedachte aan het 'Afrikaanse riddergoed' en aan mijn vrouw en mijn kinderen thuis.

Enfin, de zaak is toch nog min of meer op zijn pootjes terechtgekomen.

Maar er helemaal mee klaar, met de zaak namelijk, was ik toch niet. Dat kon ik meteen al van het gezicht van de kelner aflezen, toen ik om hem gebeld had en de jongeman me eerst een hele tijd met open mond aanstaarde, alvorens mijn vraag om schoon en warm water tot hem doordrong. En daar verscheen achter hem al vriend Sichert, de hotelbaas in eigen persoon, die me eveneens aanstaarde en riep: 'Maar meneer, het zal toch niet waar zijn? Ik vraag u duizendmaal om excuses, maar u bent toch de eerste in de hele stad die precies van meneer Schaumann te horen hebt gekregen hoe het eigenlijk allemaal in zijn werk is gegaan! En er zijn ook al een paar van uw geachte kennissen beneden in de eetzaal geweest om te informeren of u al op was en of het werkelijk allemaal zo gegaan is met Kienbaum en met Störzer.'

'Nou ja, beste Sichert. Dat zit er wel in.'

'Dat houd je toch niet voor mogelijk! Bij een deel van de stad is weliswaar gisteravond al vanuit De Gouden Arm de grootst mogelijke onrust ontstaan. Helaas was u al naar bed toen de verrassende boodschap ook tot mij nog doordrong, en ik heb niet de vrijheid willen nemen —'

'— om mij wakker te maken en onmiddellijk de juiste informatie binnen te halen. Daar ben ik u uiterst dankbaar voor, beste —'

'Maar, lieve hemel, met permissie en in alle beleefdheid, u bent toch ook een kind van deze stad en behoort zo te zeggen nog tot ons, en wat ons allemaal al die jaren zo intensief heeft beziggehouden — als er dan opeens zo'n merkwaardige opheldering komt!... En dan die oude Störzer! Niemand die ooit iets anders in hem zag dan een goedige, onschadelijke oude man en stoethaspel! En nu vanochtend wordt hij begraven, zonder dat hij ooit op aarde heeft moeten boeten met zijn gerechte straf! En dan onze geachte meneer Schaumann, die toch al sinds lang zoveel had kunnen doen om alles op te helderen, die alles had kunnen doen —'

'— om ons nog een restje aangenaam-kriebelige opwinding te bezorgen. Nee, nee, beste Sichert, daar was hij te dik voor, te onbeholpen, te log of hoe u het verder wilt noemen. En ook een tikkeltje te gemoedelijk en te zeer op zijn gemak gesteld. En verder — nou ja, was het toch ook iets uit het grauwe verleden, zo'n verjaarde zaak die in feite niemand meer wat aanging, behalve misschien nog een beetje zijn vrouw — de vrouw van meneer Schaumann, een geboren

Quakatz. Ja, waarom zouden die twee, uitgerekend nu ze zo hoog en droog op hun veilige schans zitten, Justitie inschakelen vanwege die goeie, ouwe Störzer, en haar op het spoor maar feitelijk ook in haar hemd zetten? Denkt u daar eens aan.'

'Het wil er toch bij mij niet in!' zuchtte mijn herbergier en liep hoofdschuddend en allerminst bevredigd weg. Maar ik greep naar mijn hoofd: lieve hemel, wat had die Oliebol gelijk gehad! Alleen al wat ik nu op me af zag komen was meer dan genoeg om me volledig te kunnen verplaatsen in zijn situatie gedurende de tijd na zijn onverwachte waarneming op die mooie zomerochtend bij de begrafenis van zijn schoonvader. Maar meteen schoot het ook door me heen: nu krijg ook *jij* alles op je dak wat die dikzak achter zijn opgetrokken brug voor de wereld zo lang en zo hardnekkig voor zich had gehouden! En die dikke pens is ook nu nog in staat om de hoogste verdedigingstoestand uit te roepen over zijn schans om hem en zijn vrouw heen, de buldoggen, slagers- en herdershonden, de giftige keeshonden, kortom al die bijtgrage bewakers van zijn schoonvader zaliger weer uit de grafkelder op te roepen en het enkel aan jou, Eduard, over te laten de zaak Störzer-Kienbaum tegenover de mensheid te verantwoorden.

Dat de man ondanks zijn uitnodigende woorden nog een tweede bezoek van mij verwachtte, geloofde ik niet meer. En ik heb al gezegd: de Rode Schans was de laatste plek van mijn vaderland waar ik nog een visite schuldig zou zijn. Zaken had ik hier niet meer te regelen. Alle prettige en onprettige herinneringen had ik opnieuw wakker geroepen en kon ze opgefrist mee naar Kaffraria nemen. Als ik op de vlucht sloeg voor de dolende ziel van Kienbaum, zou ik nauwelijks spijt, hoogstens een kortstondige verwondering achterlaten over mijn overhaaste vertrek. En niemand, man noch vrouw, zou zich aan mijn jas vastgeklampt hebben in een poging me 'op zijn minst nog een dag of wat' te laten blijven.

Wat dacht je, Eduard, als je nu je biezen pakte en daarin meteen je eigen aandeel in de affaire mee aan boord nam?

Bij die woorden, of beter gezegd, die gedachte stond ik al niet meer op de vaste grond van het vaderland, ik stond weer op mijn zeebenen, op de beweeglijke planken boven de grote golfbeweging van de Oceaan, en een buitengewoon verfrissende zeewind woei me in het gezicht.

'Ik ga!' zei ik, en — ik ging wis en waarachtig. Aan stille verwijten schonk ik geen aandacht en mochten er luidere komen, was ik immers altijd nog in Afrika te vinden en zou ik daar graag tegenover iedereen rekenschap hebben afgelegd, dat wil zeggen, hem of haar dit scheepsdagboek te lezen hebben gegeven.

Overigens kostte het toch nog enige list en moeite om vooral De Heilige Driekoningen ongehinderd achter me te kunnen laten. Enkel door iets dat veel weg had van omkoping slaagde ik erin zonder medeweten van de waard mijn rekening in handen te krijgen. Het kostte me geld, maar ik vond een gedienstige ziel die me hielp de hotelwagen te omzeilen en die mijn bagage heimelijk op een handkar naar het station bracht. Ik verkleedde me niet, ik wikkelde me niet in een toneelmantel of trok de vilthoed over mijn neus; maar ik ontliep wel de brede hoofduitgang en de kaarsrechte weg en ontsnapte via het achterpoortje naar de huistuin van De Heilige Driekoningen. Ik kon de tuin uit via een tweede poortje, dat me op een mij uit mijn kindertijd welbekend nauw paadje bracht tussen andere tuinen, stallingen en andere schuurtjes. Als ik Kienbaum had doodgeslagen en de politie had me op de hielen gezeten, had ik niet behoedzamer te werk kunnen gaan; en ik was dolblij dat er tijdens mijn laatste afwezigheid toch maar weinig in de stad was veranderd en ik dankzij mijn voormalige oriëntatiegevoel ook overweg kon met minder begane wegen.

Het liep tegen negenen toen ik niet door de stad, maar

eromheen achter de tuinen langs naar het station wandelde. Dat deze weg door het Mattheuskwartier liep, had ik toen ik de hoofdstraten wilde vermijden niet ingecalculeerd en het was dan ook geen wonder dat ik ondanks mijn tijdelijke voorzichtige mensenschuwheid toch in de drukte terechtkwam.

Het zou overdreven zijn te zeggen dat de halve stad op de been was om voor de begrafenis van de plattelandspostbode Störzer langs diens laatste pad in het gelid te staan, maar een groot gedeelte van de bevolking had zich toch in de straatjes en steegjes rondom zijn behuizing verzameld. En daaronder niet alleen juffrouw Eyweiss met haar kruikje bronwater, maar ook nog andere bekenden uit De Brompot.

Dat de mensen daar stonden te trappelen om de stoet te zien en de oude man met eerbetoon naar zijn laatste rustplaats te begeleiden, hoorde je niemand zeggen. Maar iedereen had bepaald het recht een paar ogenblikken vrijaf te nemen van zijn ochtendlijke beslommeringen of zijn zaken om nu op het laatste ogenblik een blik te werpen op de zwarte kist waarin de voor deze ogenblikken merkwaardigste persoon rustte, niet alleen van de stad maar van de hele wijde omgeving. Ze wilden allemaal die goeie, ouwe domme kerel zien, die oude Störzer die in zijn vierenvijftigduizendhonderdenvierenzestig diensturen met zijn bezwaarde geweten vijf keer om de wereld was gelopen en die de stad van boven tot beneden zoveel lange, lange jaren had laten praten zonder een woord te zeggen — ze wilden hem, Kienbaums moordenaar, hem of tenminste zijn doodskist toch nog een keer zien!

En daar kreeg ik al een vriendschappelijke klap op mijn schouder.

'Tjonge, Eduard, daar moest echt iemand als jij van Kaap de Goede Hoop thuiskomen om ons deze verrassing hier te bereiden. We hebben gisteren in de Arm al zo'n beetje uit zitten puzzelen hoe jullie, jij en Schaumann, gisteren op de

Rode Schans je gevoelens moeten hebben gelucht. Maar dat was prima van je dat je die bolle eindelijk in een mededeelzame, praatgrage stemming hebt gebracht. Die Oliebol! Ja, zo was hij altijd al! Jaja, als jij niet was gekomen, was het nooit zo ver gekomen! Zonder jou, Eduard, hadden we eeuwig lang kunnen wachten om erachter te komen wie Kienbaum nu eigenlijk heeft doodgeslagen. En die oude Störzer, je weet werkelijk niet of die geschiedenis er door hem akeliger of als het ware een stukje huiselijker op is geworden. Maar zoals gezegd, in hoofdzaak: wat vind je van Oliebol? Is ie niet goddelijk? Is ie niet nog precies dezelfde als vroeger?'

'Nog helemaal de oude. Zo snel verandert een mens niet. Maar neem me niet kwalijk: loopt jouw horloge gelijk?'

De vriend raadpleegde zijn klokje: 'Op de minuut. Over tien minuten is het halftien.'

'Dan heb ik geen tijd meer te verliezen. De trein naar Hamburg vertrekt over twintig minuten!'

'Je moet naar Hamburg?'

'En nog een stukje verder. Ik vertrek naar Afrika. Leuk dat ik je nog even heb ontmoet om je alsnog het allerbeste te kunnen wensen.'

'Maar Eduard! Eduard, dat meen je niet! Hoe komt dat dan zo onverwachts, zo plotseling?'

Gelukkig kwam op dat moment de sjofele, armzalige lijkstoet de hoek om, zodat ik mezelf het antwoord kon besparen. De zo wonderbaarlijk aan alle aardse boetedoening ontglipte zondaar fascineerde mijn kennis toch nog meer dan mijn plotselinge vertrek. De aanblik eiste zozeer zijn aandacht op dat ik eveneens kon ontglippen, nadat ik nog een laatste korte blik op de kist van mijn oudste vriend had kunnen werpen.

Die trieste kist! Nu met een gevolg dat slechts bestond uit een vrouw met één kind op haar arm en één aan haar schort!...

Ze hadden zich allemaal aan de stoet onttrokken waar ze anders ongetwijfeld aan hadden deelgenomen. Ook de keizerlijke Post had het niet passend bevonden haar lagere dienstpersoneel op te trommelen ter ere van de oude globetrotter, de brave ambtenaar, maar tegelijk zeer verstolen moordenaar tegen wil en dank; en daar kon je ze waarlijk geen ongelijk in geven; ze hadden volkomen gelijk.

'Welnu, hij heeft het zichzelf en dat ongelukkige vrouwtje gisteravond al beloofd aan kinderen en kleinkinderen te denken,' zei ik toen ik het station had bereikt. Er passeerde net een vroege pleziertrein naar het zuiden en het wemelde van vrolijke passagiers met groene takken op hun hoed, liederenbundeltjes in hun zakken, picknickmanden, eetvoorraden en alles wat er verder nog hoort bij dit soort omstandige uitstapjes uit de dagelijkse sleur: een betere drukte was er niet voor mijn stemming om in te belanden. Zo was de wereld!

Met enige moeite bereikte ik de trein naar het noorden; maar de moeite was niet onaangenaam en ik heb daarbij geen kind omvergerend, ook geen vrouw door een overhaaste elleboogstoot de uitroep 'O, mijn god!' ontlokt. Maar terwijl ik mezelf in de godzijdank vrije hoek van de wagen installeerde, zuchtte ik: 'Ziezo, Oliebol!...' om er pas even later aan toe te voegen: 'Ja, in feite komt het toch allemaal op hetzelfde neer, of je nu onder de heg blijft liggen en alles op je af laat komen of dat je jezelf door je goede vriend Fritz Störzer en zijn oude Levaillant en Johann Reinhold Forster de wijde wereld in laat sturen om zelf daarginds op zee en in de woestijn het avontuur te zoeken.'

Een schrille fluittoon, een sissen, een briesen en snuiven, een steeds versnellend gehijg en gesteun en mijn geboortestadje met zijn onvermijdelijke materiële en immateriele inventaris, met zijn mensen, levend of dood, met vader en moeder, ooms en tantes, met vrienden, schoolmeesters, goede en kwade kroeggenoten, met kerk en markt lag weer achter mij. En De Brompot, de Gouden Arm en De Heilige Driekoningen en — Oliebol ook.

Nee, de laatste toch niet. Daarvoor was toch sinds de dag van gisteren mijn hele verblijf in mijn vaderland te nadrukkelijk geconcentreerd rondom zijn dikke persoon. Ook thuisblijvers konden dus, zonder zich een voetbreed van hun heg te verwijderen, het nodige beleven en het in een wonderbaarlijk verlichte ziel laten uitkristalliseren! De mensheid was nog steeds bij machte zichzelf vanuit het vet, de rust, de stilte tegenover het pezigste, magere, gejaagde conquistadorendom in stelling te brengen. Heinrich Schaumann, bijgenaamd Oliebol, had dat ten overstaan van mij op drastische wijze laten zien. Natuurlijk vertrok ik niet zonder in het voorbijgaan vanuit mijn sneltrein uit te kijken naar zijn schans.

Op anderhalve treinminuut buiten de stad lag de spoorbaan aan de voet van de Rode Schans, en een ogenblik lang kreeg je daar een aardig overzicht over de oorlogsmolshoop van Zijne Hoogheid de graaf van de Lausitz, prins Xaver van Saksen. Beschoeiing, geboomte en dak staken scherp af tegen de blauwe zondagochtendlucht, en met gespannen, wonderlijk weemoedige en plezierige aandacht wachtte ik op het voorbijvliegen en het afscheid nemen tijdens het voorbijvliegen.

En ik kreeg alles zo nauwkeurig als ik had gewild in beeld. Het waren maar twee lichte stipjes, maar ze waren er in het zonovergoten, groengouden landschap van mijn geboortestreek. Hij stond op zijn vestingwal in zijn zomerse ochtendmantel vergezeld door zijn Tientje en zonder twijfel zijn lange filisterpijp. Zijn vrouw had vast en zeker haar arm bij hem ingestoken, en als zij nu eindelijk ook wist wie Kienbaum had doodgeslagen, wachtte ze toch met het volste vertrouwen in haar Heinrich de stormvloed af van de wereld daarbuiten, die gisteravond eveneens had vernomen wie Kienbaum had doodgeslagen. Ze genoten ondanks alles wat hun door dat feit te wachten stond, van de mooie ochtend. Twee die men vroeger links had laten liggen, lagen daar nu getweeën onder de heg, wat de wereld, de rest van de wereld, ook van hun onbegrijpelijke indolentie mocht denken.

O die Oliebol!

Als hij had vermoed dat zijn 'goede vriend Eduard' daarbeneden voorbijsnelde, dan had hij zeker zijn pijp de lucht in gestoken en met zijn muts gezwaaid. En dan zou ook Valentine Oliebol, geboren Quakatz, haar zakdoek hebben laten wapperen, en *zij* zou er dan misschien bij hebben gezegd: 'Maar dat is toch eigenlijk onbegrijpelijk van hem!'

En wat mijn dikke vriend Heinrich Schaumann daarop anders had kunnen antwoorden dan 'Hm!' zou ik niet weten.

Voorbij alweer die Rode Schans! Maar toch een geluk: de zekere wetenschap dat hij rustig bleef liggen waar hij lag en hoe hij lag, dat ik dat in mijn herinnering kon bewaren als dat wat het was: een door de zon beschenen puntje in het allerfraaiste vaderlandse groen.

Reeds verzocht de medereizigster tegenover mij me vriendelijk en beleefd om vanwege de tocht het raampje aan deze kant toch maar liever dicht te doen, aangezien de wind van opzij kwam en het tegenoverliggende raampje openstond. Aangezien ook de zon als hittebron pal in het betreffende raampje scheen, voldeed ik graag aan de wens van de dame. Ik schoof het raam omhoog en de blauwe gordijntjes dicht, en ik kan niet ontkennen dat de blauwe schemer me buitengewoon goeddeed na het kort-scherp-ingespannen turen in de scherp-heldere ochtend met zijn verblindende geel en groen en de beide minuscule figuurtjes op de wal van de Rode Schans — na voor het laatst te hebben uitgekeken naar de goede dikke vriend en de lieve, goede vriendin Valentine Schaumann in mijn geboortestreek! Nu al waren er wat roetdeeltjes van de kolenlocomotief in mijn rechteroog gewaaid.

Maar er is nog iets dat ik niet wil ontkennen, namelijk dat het blauwe licht of de lichtblauwe schemering waarin ik bij het vertrek uit de streek van mijn jeugd mijn ogen sloot om weer aan de normale belichting te wennen, mij ondanks deze gewenning toch nog tot Hamburg, tot op het schip — tot op dit uur heeft begeleid. Verstandige mensen zullen wel zeggen: 'Ja, wat haalt een mens zich niet allemaal in het hoofd om bij kalme zee de tijd te doden? Oké, het is maar een kwestie van smaak met welke vorm van communicatie je de verveling bestrijdt.'

Vrijwel hetzelfde vond de kapitein, die zojuist naar beneden kwam en zei: 'Weet u wel, geachte heer, dat u het enige merkwaardige bent, wat ik op deze reis ben tegengekomen? Een beetje slecht weer heb je vrijwel altijd, maar deze keer helemaal niet; want die *squall* van laatst zult u zelf ook niet meetellen. Boven op het dek beginnen we al naar de Tafelberg uit te kijken, maar potdorie, voor mij is nu toch echt het belangrijkste dat u me eens laat zien wat u deze hele maand hier op mijn schip bij elkaar heeft geschreven.'

'Niets dat u werkelijk zou kunnen interesseren, kapitein. Een zuivere privéaangelegenheid!' zei ik en klapte het manuscript dicht.

Toen ik vervolgens ook aan dek ging om met de anderen de Tafelberg uit de zee te zien opdoemen, en toen inderdaad een blauw wolkje aan de horizon door het scheepsvolk was herkend als de beroemde berg, moest ik toch naar mijn hoofd grijpen en vragen: 'Eduard, wat gebeurt er? Je bent weer hier?' —

Het duurde nog anderhalve dag voor we aan land konden, en gedurende die tijd bewandelde ik nog geregeld met plattelandspostbode Störzer de landwegen van mijn geboortestreek, en hoorde hem met vreemde zijdelingse blikken op de Rode Schans vertellen over Levaillant en het binnenland van

Zuid-Afrika in de blij-onrustige zekerheid: nu heb je weldra je vrouw weer aan je nek hangen en je dubbelgeaarde Duits-Hollandse kroost aan je jaspanden: 'Vati, wat het jy vir ons uit die vaterland saamgebring, aus dem Deutschland?'

NAWOORD

Wilhelm Raabe (1831–1910) behoort met Theodor Fontane en de Zwitser Gottfried Keller tot de grote Duitstalige romanciers van de negentiende eeuw. Op het werk van alle drie zit het weinig zeggende en misleidende etiket 'realisme' geplakt, soms nader aangeduid als 'poëtisch realisme' of 'burgerlijk realisme'.

Met de beeldvorming rond deze schrijver is het nodige misgegaan, zowel in figuurlijke als in letterlijke zin. Afbeeldingen van Raabe stammen vrijwel altijd uit zijn laatste levensjaren, ze tonen een grootvaderfiguur met sneeuwwit haar, een 'Schriftsteller a.D.' — niet de rijzige, aantrekkelijke man die in de kracht van zijn jaren een aantal meesterwerken schreef. Het zal misschien iets te maken hebben met de geschiedenis van de portretfotografie maar vooral met het feit dat Raabe pas in de nadagen van zijn literaire loopbaan, toen het eredoctoraten regende, de status van Beroemde Duitser ten deel viel. Maar die late waardering bleef steevast gefixeerd op zijn eerste boek, de *Chronik der Sperlingsgasse* (1856). Daar werd met een bijna nostalgisch sentiment op teruggekeken.

Uitgerekend de meest fervente bewonderaars bleken een blinde vlek te hebben voor de kwaliteiten van Raabes rijpere werk, en het brede publiek koesterde lang het niet bijster opwindende portret van een schrijver die geheel ten onrechte werd geïdentificeerd met vermeende oudvaderlandse deugden. Raabes pech was dat zijn bewonderaars er een tunnelvisie op na hielden, die ze nog tientallen jaren na zijn dood in talrijke publicaties bleven cultiveren. Vereerders uit deze kring waren niet zozeer geïnteresseerd in de bijzondere artistieke kwaliteiten van het werk zelf, hun aandacht ging vooral uit naar de persoon van de schrijver, voor zover men die meende te kennen. Raabes pessimistische en maatschappijkritische attitude werd aanvankelijk genegeerd en later als 'humor' vergoelijkt. Een opvallend groot aantal van deze Raabe-adepten bleek de *Heimatliebe* die zij 'hun' schrijver valselijk toedichtten ontvankelijk te hebben gemaakt voor de fatale *Blut und Boden*-ideologie die na de verloren Eerste Wereldoorlog propagandistisch geïnstrumenteerd, de gemoederen in Duitsland vergiftigde.

De thema's van Raabes grote romans zijn alles behalve gedateerd: *Pfisters Mühle* bijvoorbeeld geeft niet alleen een tijdsbeeld van de oprukkende industrialisatie en de milieuvervuiling die daarmee gepaard ging, maar toont ook welke misschien onoplosbare problematiek de 'vooruitgang' met zich meebrengt, zonder te vervallen in nostalgie of moralistisch simplisme. In *Abu Telfan* is de hoofdpersoon een 'Duitse Afrikaan' die na een twaalfjarige slavernij in Darfur terugkeert naar Germania en daar ten prooi valt aan de kleinzielige vijandigheid van een zelfingenomen thuisfront dat zichzelf door de 'buitenlander' bedreigd voelt. *Stopfkuchen* is oppervlakkig bezien een misdaadroman, maar gaat eigenlijk over de vernietigende macht van vooroordelen en de vraag hoe daarmee om te gaan.

Zowel in de keuze van zijn thema's alsook in zijn manier van schrijven was Raabe zijn tijd tientallen jaren vooruit. Niet 'copieerlust des dagelijksen levens' was zijn drijfveer, maar het streven de 'realistische' substantie van zijn werk te plaatsen in een netwerk van verhaalperspectieven en uitwaaierende tijddimensies, vaak gekruid met een 'on-Duitse' humor. De innerlijke monoloog neemt bij hem al de vorm van de *stream of consciousness* aan en decennia vóór William Faulkner beschreef hij (in het verhaal 'Drei Federn') een en hetzelfde leven vanuit de onderling verschillende gezichtspunten van meerdere personages; in *Stopfkuchen* wordt door onverwachte tijdsprongen de chronologisch-lineaire verteltrant permanent doorbroken, waarbij soms wel vier verschillende tijdniveaus in één enkele zin worden samengetrokken; het nagelaten fragment *Altershausen* is een bijna avantgardistische montageroman, een logische voortzetting van de dagboekfragmenten van de *Chronik* en de 'losse bladen' waaruit *Pfisters Mühle* is opgebouwd.

Raabes virtuoze, meanderende taalgebruik maakt dat vooral zijn latere werken aan frisheid nog niets hebben ingeboet. Het inzicht daarin kwam echter pas na zijn dood langzaam op gang. In 1931 leek een heruitgave van *Stopfkuchen*, geflankeerd door een baanbrekend essay van Roman Guardini, een beslissende kentering in te luiden. Maar Guardini's vurige pleidooi kwam op een historisch zeer ongunstig moment. De nazi's zouden weldra het roer overnemen en lijfden de in 1910 gestorven auteur postuum in als een van de hunnen: Raabe moest opnieuw model staan als hoeder van vaderlandse, oer-Duitse deugden, een beeld dat in het geheel niet in overeenstemming was met zijn scherpe visie op mens en maatschappij. Gevolg was dat na de Tweede Wereldoorlog niet alleen het Raabegenootschap in alle geledingen moest worden gezuiverd, maar ook dat het rijpe werk weer grotendeels naar de achtergrond verdween.

Voor het grote publiek bleef Raabe de schrijver van twee boeken: de *Chronik der Sperlingsgasse* (1856) en *Der Hungerpastor* (1864). Niet dat er wat mis zou zijn met die twee werken, integendeel, de *Chronik* was een ijzersterk debuut en de *Hungerpastor* een alleszins verdienstelijke dubbelroman. Maar Raabe was terecht teleurgesteld dat zijn reputatie steeds weer gekoppeld bleef aan die beide *Kinderbücher* waarvan hij de houdbaarheidsdatum verstreken achtte, al was hij natuurlijk blij dat deze 'verschaalde jeugdkwark' hem als gezinshoofd en vader van vier kinderen in staat stelde de schoorsteen van zijn comfortabele huurappartementen rokende te houden.

Pas na de Tweede Wereldoorlog begon men, vooral in academische kringen, het gelijk van Guardini in te zien, die in zijn *Stopfkuchen*-essay van 1931 de vinger legde op de paradoxale situatie dat Raabe weliswaar als een van de grote romanciers van de negentiende eeuw werd vereerd, maar dat hij 'in het algemene bewustzijn niet gekend werd als degene die hij was'.

Raabe heeft in Nederland wel degelijk zijn bewonderaars gehad, zij het in kleine kring. De Groningse hoogleraar Van Stockum wijdde in 1930 zijn inaugurele rede aan de zwarte roman *Schüdderump*; Frank Maatje, die zich al in zijn proefschrift uitvoerig met de *Hungerpastor* had beziggehouden, schreef een belangwekkend artikel over het nagelaten romanfragment *Altershausen* en zag daarin 'ein früher Ansatz zur "Stream of consciousness"-Dichtung'; *Stopfkuchen* was een lievelingsboek van de Groningse dichter en germanist C.O. Jellema, die zelfs heeft overwogen het te vertalen en een uitvoerig essay publiceerde over Raabes werk.

Voor het grote Nederlandse publiek echter is Raabe nog steeds een onbekende. Geen van zijn romans is hier ooit vertaald; van zijn novellen kreeg alleen *Die schwarze Galeere* (in een vertaling van niemand minder dan Marnix Gijsen) ooit enige aandacht, waarschijnlijk vooral omdat het een episode uit 'onze' Tachtigjarige Oorlog schildert.

Maar er is in de twintig delen van Raabes verzamelde werken heel veel meer te vinden dat de moeite waard is, waaronder een serie meesterwerken. Tot de topstukken behoort zonder twijfel *Stopfkuchen*, oftewel *Oliebol*, een van Raabes laatste werken, daterend van 1888–1890. De schrijver was toen na een vruchtbaar verblijf van acht jaar in Stuttgart naar zijn oude stek in Braunschweig teruggekeerd. De reacties op dit boek waarin Raabe naar eigen zeggen het 'menselijke canaille het stevigste in zijn nekvel had gepakt', waren aanvankelijk nogal tegenstrijdig. Enerzijds was er lof voor de geraffineerde vorm, daarnaast ook gemakzuchtige kritiek, omdat de spanning die het 'moordverhaal' beloofde, uitbleef. De humor van het handelingsarme boek, waarin uitweidingen en afdwalingen bewust als stijlmiddel worden gebruikt, werd aanvankelijk helaas door maar weinigen begrepen, terwijl de schrijver juist de aansluiting aan de traditie van Laurence Sterne of Jean Paul beschouwde als de grootste literaire triomf over zijn pessimistische levensvisie.

Wat is dit voor een boek? Raabe zelf beoordeelde het in elk geval als zijn beste, 'meest subjectieve' en meest 'schaamteloze' werk. De titel wekt bij oudere lezers wellicht associaties met Dik Trom. Met die vreemde jongen ('en dat is ie') heeft Raabes held inderdaad zowel de lichaamsomvang als de outsiderrol gemeen. Het woord 'Stopfkuchen' staat voor het laatste restje deeg waarin de overgebleven rozijnen, boter en suiker worden gestopt. Eduard, Stopfkuchens voormalige klasgenoot, heeft die betekenis ook duidelijk voor ogen als hij zich bij zijn bezoek aan Oliebol afvraagt of hij 'die lekkernij voor het laatst zou hebben bewaard'. Daarbij is hij zich nog geenszins bewust van de psychische last voor degene die zo'n bijnaam krijgt.

Ondanks de vrolijke titel is *Oliebol* het tegendeel van een jongensboek. Met de naar sensatie riekende ondertitel 'een zee- en moordverhaal' zet Raabe de lezer van meet af aan op het verkeerde been. Want wat Eduard tijdens een rimpelloze passage van Duitsland naar Zuid-Afrika in zijn kajuit neerpent, heeft met die zeereis niets te maken. Het is geen scheepsjournaal maar het verslag van zijn korte bezoek aan zijn oude Heimat en het weerzien met zijn voormalige schoolkameraad Heinrich Schaumann, ooit door zijn klasgenoten Oliebol gedoopt en door zijn leraren te kijk gezet als prototype van de domme luiwammes. Deze Oliebol dringt al snel de verteller naar de achtergrond en laat zich voorlopig het woord niet meer ontnemen.

Schaumann heeft het in tegenstelling tot Eduard altijd dicht bij huis gezocht en al sinds zijn kindertijd zijn zinnen gezet op de 'Rode Schans', een bolwerk van waaruit ooit de prins Xaver van Saksen het stadje waar het op uitziet bestookte. Dit fort vormt als verloederde boerderij ook de vesting waarbinnen zich boer Quakatz met zijn geplaagde verwilderde dochter Valentine heeft verschanst tegen een vijandige omgeving, die hem ten onrechte voor een moordenaar houdt. Oliebol, die op een kritiek moment als reddende engel optreedt en met een reeks zorgvuldig afgewogen stappen de boerderij weer op orde brengt, komt en passant de ware toedracht van de moord op het spoor. Zoals later Agatha Christie geeft Raabe de goede verstaander al na zo'n tien bladzijden een verborgen hint wie de schuldige is, en wordt de waarheid, zoals in elke rechtgeaarde *crime story*, pas aan het einde onthuld. De oplossing van die 'moord' — later blijkt dat het om doodslag ging — is echter niet waar het Oliebol in zijn verhaal om begonnen is. Diens monoloog is de triomfantelijke afrekening met een wereld die hem van begin af aan in het defensief heeft gedreven. Tegelijk is het de twijfelachtige apologie van een leven in de luwte dat, in tegenstelling tot dat van Eduard, dankzij zijn passiviteit, geduld en, incasseringsvermogen tot een vorm van geluk leidt die niet onderdoet voor de in burgerlijk opzicht schijnbaar zo geslaagde carrière van de initiatiefrijke, ondernemende Eduard.

Het is onmogelijk in kort bestek in te gaan op alles wat Raabe naar eigen zeggen in deze verbazingwekkende, gelaagde roman *hineingepropft* heeft. *Oliebol* getuigt van een weinig hoopvolle visie op mens en maatschappij, maar is tegelijkertijd humoristisch getoonzet. Die visie komt erop neer dat de mens kortzichtig, vooringenomen en hardvochtig is. Dat leidt tot de gewelddadige dood van de sadistische Kienbaum, tot de collectieve karaktermoord op de cholerische boer Quakatz en tot de levensleugen waartoe de melancholieke postbode Störzer zichzelf heeft veroordeeld. Met een hartgrondige ironie schildert Raabe hoe de flegmatieke Oliebol over deze baaierd triomfeert en op de Rode Schans samen met zijn 'Tientje' een kinderloos bestaan weet op te bouwen dat hem maximale behoeftebevrediging verschaft.

De germanistische vakliteratuur heeft talrijke aspecten van dit rijke boek belicht: de krachtige symboliek, de elkaar overlappende tijdniveaus, de functie van het verhaalperspectief, van het vertraagde vertellen, de corresponderende personages, de rol van de humor, Oliebol als 'omgekeerde Christus', Oliebol als *Überfilister*, de functie van de vele citaten, om maar een greep te doen. Ik laat dat alles graag voor wat het is en wil alleen op het laatste aspect wat uitvoeriger ingaan.

In de literatuur over Raabe stuit men nogal eens op het cliché dat Raabe door zijn kritiek op de *Philisterei* (wat zoiets betekent als 'burgerlijke benepenheid') uitgerekend die lezers tegen zich in het harnas gejaagd zou hebben die over voldoende *Bildung* of *Halbbildung* beschikten om zijn veeleisende romans met hun talrijke verwijzingen naar andere literatuur met succes te kunnen lezen. Raabe zelf stelde vast dat hij met zijn eerste boeken vooral *lezers* en met zijn latere vooral *kenners* had weten te bereiken. Nu is *Oliebol* inderdaad een boek voor literaire fijnproevers. De schrijver maakt het zijn lezers niet altijd even makkelijk. Niet iedereen zal in de omschrijving 'Boeddha uit Frankfort' of 'wijsgeer van Frankforts beste table d'hôte' onmiddellijk de filosoof Arthur Schopenhauer herkennen. En niet te ontkennen valt dat er in de conversatie tussen Eduard en Heinrich veel langskomt dat in Raabes tijd als *Bildungsgut* gold. Dat zijn dan naast de Bijbel vooral Goethe en Schiller, aangevuld met enkele werken uit de wereldliteratuur, zoals Cervantes' *Don Quichot* of Fenimore Coopers *Laatste der Mohikanen*. Groot is verder het aandeel van schrijvers uit de Oudheid die via het gymnasium hun weg naar de scholieren van goeden huize vonden: Homerus, Cicero, Horatius, Plutarchus, Plinius de Oudere. Ook naar minder veeleisende lectuur wordt verwezen, zoals de Afrikaanse reisbeschrijvingen van 'Levalljang', oftewel François Levaillant, die in de vertaling van zijn Duitse collega Johann Reinhold Forster ook in Duitsland grif onthaal vonden, evenals de 'neue Pitaval', een documentatie van misdrijven naar Frans voorbeeld. Tot mijn vreugde refereert Raabe ook aan Hieronimus Jobs, de held uit C.A. Kortums onzinnige *Jobsiade*, een ooit beroemd-beruchte, nu vrijwel vergeten schelmenroman, onlangs door mij uit de mottenballen opgevist en vertaald. Verder wordt er nogal wat ontleend aan sprookjes (Andersen, Bechstein, Brentano, Rückert, Perrault) en ook kroeg- en volksliederen komen aan bod. Zelfs is er een lied van Raabes vriend Wilhelm Brandes, geschreven voor de 'Kleiderseller', een van de in die tijd zo typerende mannengenootschappen waar Raabe zich zo in thuis voelde.

Literatuurwetenschappers hebben het allemaal keurig getraceerd en nageplozen en er is geen proefschrift over Raabe waarin niet uitvoerig aandacht wordt besteed aan wat in jargon 'intertekstualiteit' wordt genoemd. De functie van al die hele en halve verwijzingen is verschillend. Het bijbelcitaat boven Oliebols deurpost heeft duidelijk een programmatisch karakter: in het lot van Noach, de mens die de zondvloed overleefde en op de berg Ararat uit zijn ark stapt om een nieuwe mensheid te grondvesten, ziet Oliebol zijn eigen levensweg weerspiegeld. Hij gaat nog een fikse stap verder als hij in de beschrijving van zijn eigen epifanie op de Rode Schans verwijst naar de herders die de geboorte van Jezus kwamen aanschouwen ("En zij gingen haastig"). Het invlechten van citaten is voor Raabe vaak ook een subtiel middel zijn verhaal op humoristische wijze te koppelen aan grote historische gebeurtenissen, zoals de proclamatie van het Duitse Rijk in de Spiegelzaal te Versailles, de Duitse koloniale expansiepolitiek onder Bismarck of de heroïsche slag van de Zoeloekoning Cetewayo.

Het merendeel van de citaten echter heeft een andere lading, waarop Eduard de lezer al in de eerste zin van zijn bericht met verbluffende openhartigheid voorbereidt:

> Ik hecht eraan om meteen in de aanhef van dit geschrift te bewijzen of te laten zien dat ik dankzij mijn gymnasiale opleiding nog steeds over de nodige culturele en intellectuele bagage beschik.

Eduard is hier een kind van zijn tijd. Wie in de negentiende eeuw 'zijn klassieken' kende, kon door een ingevlochten citaat laten blijken dat hij niet van de straat was. Het citaat diende in de conversatie als sjibbolet, als ons-kent-ons-woord onder de beter opgeleiden. Als Eduard al op de eerste pagina van zijn bericht de verzuchting slaakt 'Nous avons changé tout cela!', slaat hij daarmee twee vliegen in een klap: hij etaleert er zijn talenkennis mee en suggereert, al dan niet terecht, zijn belezenheid. Dat doet ook de kapitein op Eduards schip met zijn uitroep 'Heigh, my hearts!' Diepgaande kennis van het werk van Molière, respectievelijk Shakespeare, was daartoe trouwens geen voorwaarde, ook in die tijd waren er al handige kant-en-klare citatenboekjes. Het merendeel van de citaten stamt uit de Duitse *Nationalliteratur*. Hun 'eeuwigheidswaarde' werd er op scholen al vroeg ingestampt. Vooral Goethes *Faust* en Schillers balladen golden als een schatkist van wijsheid en genot, en dienden als grabbelton waaruit talloze uit het hoofd te leren 'dichterswoorden' en kalenderspreuken, los van elke context of kritische reflectie konden worden opgediept. De beide protagonisten in onze roman maken van deze conventie gretig gebruik: Eduard om zijn status als rijk geworden *farmer* glans te geven, Oliebol om alsnog het ongelijk te bewijzen van de leraren die hem als notoire zittenblijver het leven zuur hebben gemaakt. Soms zijn het wel heel erg curieuze veren waarmee Eduard meent te moeten pronken, bijvoorbeeld als hij de inhoud resumeert van de satirische komedie *Die verhängnisvolle Gabel* ('De noodlottige vork'), om zodoende een link te leggen naar het bestaan dat hij in Zuid-Afrika heeft opgebouwd:

> Dus, Eduard, citeer jij maar even Von Platens 'Vork' als bewijs van het feit dat wij qua literatuurkennis alles nog op een rijtje hebben!' Eduard is namelijk mijn doopnaam en Mopsus heet in het voornoemde blijspel de herder in Arcadië die 'op het voorgebergte van de Goede Hoop' een riddergoed wenst te kopen en voor dat doel al zijn spaarcentjes opzijzet.

Duitse uitgevers van *Oliebol* doen aan pedanterie vaak niet voor Eduard onder en plegen van al die toespelingen in voetnoten nauwkeurig de plaats van herkomst aan te geven. Voor deze vertaling is dat bewust niet gebeurd, uit de tekst zelf blijkt meestal duidelijk genoeg dat er leentjebuur is gespeeld, bij *wie* is in het gros van de gevallen van secundair belang.

Binnen de negentiende-eeuwse literaire stroming die als 'realisme' te boek staat, spelen Duitstalige auteurs geen hoofdrol. Het waren vooral romanciers als Dickens, Flaubert, Zola, Dostojevski die de toon aangaven. Pas in de twintigste eeuw brak in Duitsland de zegetijd van de roman aan, uitmondend in de toekenning van de Nobelprijs voor Literatuur aan Thomas Mann in 1929. Daarmee werd een schrijver van wereldformaat geëerd, in wiens schaduw al zijn Duitse voorgangers tot regionalisten dreigden te verbleken. Uitgerekend Thomas

Mann echter voert in zijn laatste en meest gedurfde roman *Doktor Faustus* (1946) als verteller een personage ten tonele dat overduidelijk is weggelopen uit Raabes wereld: Dr. phil. Serenus Zeitblom, de viola d'amore bespelende chroniqueur, die door zijn naam, zijn habitus, zijn parmantige presentatie en wijdlopige stijl zijn literaire afkomst geen moment verloochent. Dat is geen geringe hommage.

Ard Posthuma

Groningen, 2007

Universitas litterarum (p. 43): 'verzamelde wetenschappen': de universiteit.
Vivant omnes virgines (p. 43): 'Leve alle maagden!' Uit het studentenlied 'Gaudeamus igitur!'
Virgo (p. 43): maagd.
Virago (p. 43): manwijf, Kenau.
Senatus populusque (p. 49): senaat en volk: de overheid.
Gloriae mundi (p. 75): Hier: roemrijke overblijfsels. Ontleend aan de uitspraak 'Sic transit gloria mundi' ('Zo vergaat 's werelds roem').
Bradypus (p. 80): Latijnse benaming van de luiaard (diersoort).
Megatherium (p. 109): reuzeluiaard (uitgestorven diersoort).
Ore rotundo (p. 114): in 'afgeronde', vloeiende taal; ook slaande op Oliebols hongerig opengesperde mond.
Sesquipedalia (p. 114): 'anderhalve voet', schertsende aanduiding voor Oliebols zwakke benen.
Evasit (p. 117): zij is ervandoor gegaan.
Moriamur pro rege nostro Maria Theresia (p. 123): 'Wij zijn bereid te sterven voor onze keizerin Maria Theresia!' (uitroep van de Hongaren op de Rijksdag in Preßburg).
Moriturus te salutat (p. 130): 'Hij die sterven gaat groet je!' Variatie op de legendarische groet die de Romeinse gladiatoren in de arena aan keizer Claudius brachten: 'Ave, imperator, morituri te salutant.'
Vox populi vox dei (p. 134): 'De stem van het volk is de stem van God.'
Salve hospes (p. 142): 'Wees gegroet, gastvriend!'

PLAATS- EN PERSOONSNAMEN

August von Platen (p. 5): schrijver van het blijspel *De noodlottige vork* (1826).
Arcadië (p. 5): geïdealiseerd landschap, gebaseerd op de Griekse herdersliteratuur.
François Levaillant ('Levalljang') (p. 16): Franse reizend onderzoeker, bekend door zijn reisbeschrijvingen in het binnenland van Afrika.
Karl Ritter (p. 18): bekende Duitse geografieprofessor, bij wie Raabe in Berlijn enige colleges volgde.
Johann Reinhold Forster (p. 19): Duitse reizend onderzoeker.
Bithynië, Paflagonië, Pontus (p. 19): streken in Klein-Azïe.
Mysia, Lydia, Karia, Lycia, Psidia, Phrygia, Galatia, Lyakaonia, Cilica, Cappadocia, Armenia minor (p. 19): idem, in verlatiniseerde vorm.
Campe (p. 20): Duitse pedagoog en schrijver van jeugdboeken, bekend door zijn bewerking van *Robinson Crusoe* van Daniël Defoe.
Comte de Lusace (p. 31): letterlijke vertaling van de graaf van de Lausitz; prins Xaver van Saksen, die in het Franse leger gediend had.
Damon en Pythias (p. 33): Grieks vriendenpaar, bekend door Schillers Ballade 'Die Bürgschaft'.
David en Jonathan (p. 33): bijbelse vrienden.
Neu-Ruppin (p. 39): stond bekend om zijn lithografische ateliers.
Düppeler schans (p. 39): werd bestormd door Pruisische troepen in de Duits-Deense oorlog (1864).
Spitzweg (p. 49): Carl Spitzweg, immens populaire,

laatromantische schilder van kleine biedermeierachtige tafereeltjes.

Markies van Carabas (p. 50): figuur uit het sprookje *De gelaarsde kat* van Charles Perrault.

Eduard (p. 51): naam van de baron die in de eerste zin van Goethes roman *Die Wahlverwandschaften* geïntroduceerd wordt.

Madame Récamier (p. 54): Franse schrijfster, beroemd door haar Parijse salon.

Madame de Staël (p. 54): Franse schrijfster, bekend door haar bewondering voor de Duitse literatuur.

Rahel Varnhagen von Ense (p. 54): stichtte een salon in Berlijn, die door talrijke belangrijke geleerden en schrijvers werd bezocht.

Desdemona (p. 55): beroemde vrouwenfiguur uit Shakespeares drama *Othello*.

Maria Theresia (p. 62): vrouw van de Duitse keizer Franz I.

Elisabeth (p. 62): keizerin van Rusland.

Jeanne-Antoinette (p. 62): de markiezin de Pompadour, geliefde van Lodewijk XV.

Pretoria (p. 62): sinds 1860 de hoofdstad van de provincie Transvaal ten tijde van de Zuid-Afrikaanse Unie.

Cornelius Nepos (p. 67): Romeinse geschiedschrijver.

Henriette Davidis (p. 79): schrijfster van een destijds beroemd kookboek.

Schubert (p. 80): Gotthilf Heinrich von Schubert, natuuronderzoeker en filosoof.

Pylades (p. 95): Griekse sagenfiguur, trouwe vriend van Orestes; in Duitsland bekend door Goethes drama *Iphigenië*.

Cetewayo (p. 112): Laatste koning van een onafhankelijk Zoeloe-rijk; regeerde van 1857–1884.

Swanepoel (p. 114): trouwe begeleider van Levaillant, behoorde tot de Khoikhoi ('Hottentotten').

Klaas Baster (p. 114): idem.
Freiligrath (p. 115): Ferdinand Freiligrath, laatromantische dichter met een voorkeur voor exotische stof.
Andersen (p. 115): Hans Christian Andersen, de bekende Deense sprookjesschrijver.
Musäus (p. 115): Johan Karl August Musäus, bekend door zijn *Volksmärchen der Deutschen* (1782–1786).
Plutarchus (p. 118): Grieks biograaf van beroemde Grieken en Romeinen.
Sancti Xaverii (p. 119): 'van de heilige Xaver', de graaf van de Lausitz.
Fenimore Cooper (p. 119): Amerikaans schrijver van beroemde indianenverhalen.
Cora en Alice (p. 119): zusters uit Coopers roman *De laatste der Mohikanen.*
Mingo (p. 119): beruchte Indianenstam in Coopers 'Leatherstocking Tales'.
Natty Bumppo (p. 119): het centrale personage in de 'Leatherstocking Tales'.
Chillon (p. 120): 'The Prisoner of Chillon' is een beroemd gedicht van Lord Byron, ontstaan na zijn bezoek aan het Château de Chillon aan het Meer van Genève.
Hubertusburgse vrede (p. 125): gesloten in 1763, einde van de Zevenjarige Oorlog.
Fritz (p. 125): Frederik II van Pruisen ('Frederik de Grote'), de populaire verlichte despoot, liefkozend ook 'de Oude Fritz' genoemd.
Peter (p. 125): 'vriend Peter', Tsaar Peter III van Rusland.
Jobs (p. 131): hoofdpersoon uit K.A. Kortums ooit zeer populaire berijmde, recentelijk hertaalde schelmenroman *De Jobsiade*. De bedelbrief van de liederlijke student Jobs en het daaropvolgende antwoord zijn vader waren vooral in studentenkringen vermaard.

Eruditio (p. 133): 'moeder Eruditio', 'moeder geleerdheid', personificatie van de universiteit.
Saïs (p. 133): verwijst naar Schillers gedicht 'Das verschleierte Bild zu Saïs'; achter de sluier van dit beeld ligt de waarheid verborgen.
Emerentia (p. 137): figuur uit Immermans roman *Münchhausen*.
Smeerkonings dochter (p. 138): figuur uit een sprookje van Hans Christian Andersen.
Zwaanhilde (p. 138): 'prinses Zwaanhilde', figuur uit een sprookje van Hans Christian Andersen.
Versailles (p. 139): in de spiegelgalerij van Versailles werd op 18 januari 1871 het Duitse Keizerrijk geproclameerd.
Camacho (p. 140): figuur uit Miguel Cervantes' roman *Don Quichot*. De rijke Camacho richt daarin een kostelijk bruiloftsmaal aan, maar zijn bruid wordt hem kort tevoren afgetroefd.
Sint-Helena (p. 143): eiland waar Napoleon naartoe werd verbannen.
Longwood (p. 143): de pachthoeve waar Napoleon op Sint-Helena was ondergebracht.
Andromache (p. 152): vrouw van Hector in de *Ilias* van Homerus.
Patroklos (p. 152): vriend van Achilles in Homerus' *Ilias*.
Manes (p. 153): de geesten van de gestorvenen.
Angra Pequeña (p. 160): de Lüderitzbaai in Zuidwest-Afrika, het huidige Namibië.
Barbertje (p. 163): figuur uit Multatuli's roman *Max Havelaar*, waarvan afgeleid de bekende uitdrukking 'Barbertje moet hangen!' Het Duits heeft hier een vergelijkbare spreekwoordelijke uitdrukking: 'Wer erschlug den Hahn Gockel?', naar een gedicht van Friedrich Rückert.
Ibykus (p. 174): figuur uit Schillers ballade 'Die Kraniche de

Ibykus'; de kraanvogels zorgen ervoor dat de moordenaar Ibykus zijn straf niet ontgaat.

Sirach (p. 177): Jozua Ben Sirach, schrijver van *De wijsheid van Ben Sirach*, boek dat deel uitmaakt van de rooms-katholieke Bijbelvertaling.

Erinnyen (p. 181): Griekse wraakgodinnen, zie ook Eumeniden.

Eumeniden (p. 181): andere benaming van de Erinnyen, wanneer ze uit juridisch oogpunt als welwillend worden beschouwd.

Wolff (p. 196): Christian Wolff, filosoof uit de tijd van de Verlichting.